LIDERAZGO
PELIGROSO

Luis Gabriel César Isunza

Prólogo por
Josh McDowell

EDITORIAL MUNDO HISPANO

Editorial Mundo Hispano

Apartado 4256, El Paso, Texas 79914, EE. UU. de A.

www.editorialmh.org

Editores: Jorge Enrique Díaz
José T. Poe
Francisco Almanza

Diseño de la portada: Carlos Aguilar
Diseño de páginas: Carlos Santiesteban
Paginación: Vilma de Fajardo

Primera edición: 2005
Segunda edición: 2006

Clasificación Decimal Dewey: 253.5
Tema: Liderazgo

ISBN:0-311-44000-2
EMH Núm. 44000

2 M 6 06

Impreso en Colombia
Printed in Colombia

CONTENIDO

Prólogo
por Josh McDowell

En varias ocasiones a lo largo de mi ministerio en México había tenido la oportunidad de conocer al pastor Luis Gabriel César. Había escuchado de su fructífero ministerio en la Primera Iglesia Bautista de Ciudad Satélite, un suburbio de la ciudad más grande del mundo. Sin embargo, no fue sino hasta el mes de julio del 2005 cuando los administradores de Editorial Mundo Hispano de la Casa Bautista de Publicaciones, quienes dicho sea como testimonio de gratitud, han publicado en castellano varios de mis 96 libros; pues bien, esos queridos hermanos y amigos me invitaron para dar una serie de conferencias a pastores y padres de familia en la ciudad de Monterrey, Nuevo León. Acepté con mucho gusto, pues la Editorial Mundo Hispano no solamente publica y vende mis libros, sino hace verdaderos esfuerzos para celebrar eventos, promocionar y publicitar el mensaje que Dios ha puesto en mi corazón: ayudar a la generación adulta a transmitir sus valores y convicciones por medio de crear relaciones de amor con sus hijos y los miembros de las nuevas generaciones.

A la misma vez, la Editorial invitó al pastor Luis Gabriel César para que él diera los mensajes bíblicos a los pastores y líderes bautistas de toda la República Mexicana. Así que llegamos a ser, sin ninguno de los dos planificarlo, un equipo de siervos del Señor ministrando a los siervos del pueblo mexicano. Fue una enorme bendición para mí conocer más de cerca a Luis Gabriel y escucharlo predicar y enseñar.

Descubrí para mi grata sorpresa que la Editorial Mundo Hispano ya ha publicado un libro de este pastor titulado *Como barro en sus manos*. He escuchado muy buenos comentarios del contenido, y después de escuchar personalmente a Luis Gabriel, no me cabe la menor duda que tiene un mensaje fresco, nuevo y apropiado para los hombres y mujeres que tienen la responsabilidad de guiar a las iglesias evangélicas donde quiera que Dios las ha puesto.

También descubrí que Luis Gabriel ha preparado otro libro, éste que ahora usted tiene en sus manos: *Liderazgo peligroso*. Cuando escuché el título me pareció algo extraño. Las preguntas iniciales fueron: ¿Peligroso? ¿Por qué? Hum... ¿Peligroso? ¿Para quién? Al escuchar la predicación del autor comprendí que efectivamente los obreros que trabajamos para el Señor, por la naturaleza del mensaje que predicamos y por el poder del Señor a quien servimos, llegamos a ser un verdadero peligro a las fuerzas del mal.

La avalancha de influencias de la cultura de nuestros tiempos cuestiona y demanda la prueba viviente de nuestros valores, principios y convicciones. Necesitamos hombres y mujeres de Dios que vayan por los caminos de todas las ciudades, pueblos y hogares desafiando las fuerzas del maligno. Personas que van proclamando que Jesús es la verdad absoluta, que su encarnación, sus enseñanzas, su muerte y resurrección son tan reales e históricamente comprobables que hacen que sus palabras: *"Yo soy el camino, la verdad y la vida"* sean tan elocuentes y pertinentes hoy como lo fueron para la gente de su tiempo.

Me da mucho gusto recomendarle y animarle a leer *Liderazgo peligroso*. Estoy seguro de que se sentirá desafiado, estimulado y animado a buscar formas nuevas de comunicar y vivir en armonía con las enseñanzas de Jesús y el mensaje de la Biblia.

Josh McDowell

Introducción

He tenido la bendición dada por Dios de pastorear una hermosa y creciente congregación enclavada en la ciudad más grande del mundo. Esta es la Primera Iglesia Bautista de Ciudad Satélite, la misma que amo y respeto, ya que Dios la ha utilizado con sumo poder para ser un faro de esperanza en medio de la comunidad, y no sólo eso, sino que he sido gratamente impresionado por su docilidad a los cambios que Dios nos ha permitido experimentar juntos a lo largo de casi veinte años. Debo dejar claro que llegué a esta congregación siendo aún muy joven, tanto que algunos tuvieron en poco mi edad, argumentando que nadie puede ser líder de una congregación siendo tan joven. Recuerdo que en aquellos días les comenté a mis amados hermanos de la "PIB", como le conocemos cariñosamente: "Es cierto que la juventud es uno de mis muchos defectos, pero estoy seguro de que con el tiempo se me quitará". Cuando escribo estas líneas han pasado casi 20 años de la bendición de pastorearles y liderarles. Soy el primero en reconocer que nuestro buen Padre celestial ha utilizado la vibrante vida de esta congregación para formarme en lo que ahora soy. Me uno firmemente a las palabras sabias y contundentes del apóstol Pablo cuando dijo:

No quiero decir que ya lo haya alcanzado, ni que haya llegado a la perfección; sino que prosigo a ver si alcanzo aquello para lo cual también fui alcanzado por Cristo Jesús. Hermanos, yo mismo no pretendo haberlo ya alcanzado. Pero una cosa hago: olvidando lo que queda atrás y extendiéndome a lo que está por delante, prosigo a la meta hacia el premio del supremo llamamiento de Dios en Cristo Jesús (Fil. 3:12-14).

Es mi oración que al leer estas sencillas enseñanzas sobre el liderazgo que Dios espera de nosotros, seamos lo suficientemente mansos para no sólo aprender las lecciones sino, en realidad, vivirlas. Ante la lamentable ausencia de liderazgo positivamente peligroso en el mundo de hoy, es mi anhelo que esta obra ayude a todos los que tienen la responsabilidad de guiar a otros, para que su tarea sea más eficiente y rinda mucho fruto que glorifique el nombre de Dios.

Luis Gabriel César Isunza
Ciudad Satélite, México

Capítulo 1
Liderazgo peligroso

A lo largo de la historia siempre han existido líderes "peligrosos" que han dejado huella de su labor. Algunas de esas huellas han sido permanentes por su impacto y otras no tanto, pero igualmente significativas. Nos toca a nosotros estudiar a algunos de esos líderes; aprender algo de lo que hicieron y el legado que dejaron. Muchos de ellos lo sacrificaron todo por realizar los objetivos que ellos mismos se marcaron. Las estrategias utilizadas por dichos líderes deben inspirarnos a practicar semejantes técnicas para lograr la clase de cambios como los que ellos lograron.

Un liderazgo peligroso es indispensable en el reino de Dios. La carencia de un liderazgo peligroso ha puesto en riesgo la obra del Señor y muchas veces ha sido la causa de la lentitud del avance del reino.

Para extender el reino de Dios en la tierra se requiere que muramos un poco. Y eso es lo que hacen los líderes peligrosos: están dispuestos a morir por establecer el reino de Dios. Jesús lo dijo con claridad: *A menos que el grano de trigo caiga en la tierra y muera, queda solo; pero si muere, lleva mucho fruto* (Juan 12:24).

"Líderes peligrosos". ¿Qué queremos decir? Por un lado se puede usar como respeto y reconocimiento de ciertas habilidades que algunos líderes poseen. Esas capacidades pueden ser positivas o negativas. Son positivas cuando contribuyen al extendimiento del reino de Dios; son negativas cuando los exponen al peligro personal o menoscaban a otras personas. Debemos partir de la premisa que el liderazgo peligroso puede ser positivo o negativo. Es decir, el peligro puede ser positivo o negativo. En el mismo momento en que decidimos servir a Cristo nos convertimos en "peligrosos", porque todo nuestro ser está bajo la dirección de Dios y nos convertimos en peligrosos para las fuerzas que se oponen al reino de Dios. Esto es ser líderes peligrosos positivamente. Pero también existen líderes que pueden llegar a ser peligrosos para la obra de Dios, ya que anteponen sus propios intereses a los intereses de Dios, y utilizan sus capacidades humanas para destruir la obra de Dios. Así podemos encontrar en la Palabra de Dios a líderes negativa o positivamente peligrosos.

Lo que deseo en este capítulo es guiarle a comprender cómo usted puede llegar a ser un líder peligroso de manera positiva.

Aquel que hace un pacto con Dios sin importarle el costo

El líder más peligroso es aquel que vive en comunión vital con Jesús, cueste lo que cueste (Juan 15:5). La prioridad de su vida es la de ser como Jesús y ajustarse a sus demandas y expectativas. Es aquel que dice: "Yo no voy a dejar que mi vida se distraiga de lo que tiene que ver con mi relación personal con Dios". Vive una intensa relación con Dios. Camina con Dios cada día.

A menudo el costo de servir a Cristo es muy alto y la pregunta es: ¿Por qué es tan alto el costo? Porque requiere lo mejor que hay en nosotros, y para ello sólo tenemos que darnos a Dios sin reservas, ni condiciones. La historia nos permite comprobar que ser siervo de Dios nunca ha sido fácil. Los hombres de Dios descritos en su Palabra son un ejemplo vivo del compromiso y dedicación que ellos tuvieron a lo largo de su ministerio. En Hebreos 11:32-40 se nos brinda una viva descripción de lo que son los líderes positivamente peligrosos.

Aquel que establece su propio estándar o normas de procedimiento personal

Esto tiene que ver con ser original. No busca imitar a otra persona sino anhela que Dios lo use tal cual él es. Intenta darle a Dios lo mejor. En el libro de Malaquías encontramos un perfecto ejemplo de cómo, a menudo, no le damos a Dios lo mejor de nuestra vida. El pueblo de Dios le daba a Dios el animal enfermo o el débil. Debemos darle lo mejor a Dios de la riqueza de nuestro corazón. No hay estándar establecido; es darle lo mejor. ¿Qué pasaría si cada miembro, líder o pastor dijera: "No te preocupes, yo voy a darle lo mejor de mí a Dios, lo mejor de mis dones"? La norma interna es la más grande y más alta. Dios está mucho más interesado en nuestra disponibilidad que en nuestra habilidad. Dios puede usarnos siendo como somos, ya que cuando vamos a la Biblia no encontramos ningún estándar que identifique a todos los siervos de Dios. Moisés fue un líder peligroso, pero fue muy distinto a Josué el cuál también fue peligroso, pero diferente. Elías y Eliseo también fueron líderes peligrosos, pero diferentes.

Aquel que eleva el funcionamiento de los que están alrededor

En Hechos 20 encontramos una valiosa enseñanza acerca de la manera de ayudar o facilitar el desarrollo de las personas que Dios nos ha encomendado.

Cuando leemos lo que Pablo escribió a los ancianos de Éfeso, descubrimos que el Apóstol les había dado poder y había elevado sus expectativas. Los líderes peligrosos son aquellos que llegan a desarrollar a otros líderes para el servicio cristiano. No tratan de hacer todo ellos mismos, sino que se dan para la formación de otros, y además, constantemente motivan a sus discípulos a llegar a desarrollar nuevos ministerios. En el mensaje final de Pablo a los ancianos de Éfeso, vemos que su consejo contenía advertencias y consejos para el éxito. Veamos primero las advertencias y luego algunos de los consejos.

Advertencias:
- Es necesario hacer un análisis introspectivo, personal y colectivo (v. 28)
- Es necesario darse cuenta de que habrá problemas externos (v. 29)
- Es necesario enfrentar los problemas internos (v. 30)

Consejos:
- Mantener una actitud de vigilancia (v. 31a)
- Recordar el compromiso con la sana doctrina (v. 31b)
- Dar importancia a mantener el modelo (v. 31c)

Pablo, como un líder peligroso, siempre estuvo motivando a su gente para que llegaran a ser lo que Jesús esperaba de ellos. Las cartas a Timoteo son un vivo ejemplo del trabajo de Pablo en alzar o elevar el nivel de motivación de su gente.

Aquel a quien los contratiempos lo inspiran y no lo derrotan

Cuando sucede una derrota o aparente fracaso, los líderes peligrosos no se dan por vencidos. Dicen: "Esto no me va a detener". Estoy convencido de que una manera de saber los alcances reales de un líder es observar qué es lo que tiene que suceder para detenerlo.

En el libro de Nehemías encontramos fuertes contratiempos en la reconstrucción de la muralla de la ciudad de Jerusalén, y aun así, Nehemías tuvo las agallas de permanecer fiel y profundamente inspirado hacia la obra que Dios había puesto en sus manos (Neh. 4:2-4, 7-9, 10-14). Nehemías enfrentó una terrible oposición, pero nada lo detuvo. ¿Qué cosas en el

¡No temáis delante de ellos! Acordaos del Señor grande y temible, y combatid por vuestros hermanos, por vuestros hijos, por vuestras hijas... por vuestras casas.

Nehemías 4:14b

ministerio le han desanimado? ¿Qué necesitaría pasar para que claudicara de sus tareas?

Aquel que arregla su vida de manera que sea aun más peligrosa

Es importante notar que hemos sido llamados a una carrera de largo alcance. No tiene nada que ver con carreras de velocidad, sino más bien, la nuestra es una carrera de largo alcance que requiere tenaz resistencia. De aquí que debemos considerar seriamente, ¿cómo podemos arreglar nuestra vida para que sea más peligrosa?

Lo primero es disciplinándonos en todos los aspectos. En nosotros debe existir equilibrio en todo lo que hacemos, y sólo ocurrirá si somos disciplinados. Jesús era una persona disciplinada; jamás lo vemos corriendo o haciendo las cosas apresuradamente. Había armonía en su ministerio. Eso me hace pensar que cuantas más cosas tenemos por realizar, tanto más tiempo debemos dedicar a Dios para que él arregle nuestras prioridades.

Segundo, no dándonos por vencidos. La capacidad de persistir se encuentra intrínsecamente relacionada con nuestra capacidad de depender de Dios. Es tiempo de regresar a nuestros pendientes: libros por leer, relaciones por arreglar, tareas no terminadas, llamadas telefónicas pendientes, informes por entregar, visitas por realizar, deudas que cubrir.

Es verdaderamente lamentable pensar en algunos poderosos líderes peligrosos, que con el paso del tiempo dejaron de serlo. Se convirtieron en un baúl de recuerdos, y no sólo eso, sino que se alejaron de su peligrosidad. La pregunta es ¿Por qué? Hay varias razones que hacen que perdamos nuestra peligrosidad en el ministerio; estas son sólo algunas de ellas.

Querer agradar al público

Esta es una esperanza falsa. Dejan de ser peligrosos porque dejan de predicar sobre temas delicados con poder y autoridad. No hablan del adulterio, de la pureza, o de la integridad, simplemente invierten el peligro. Es decir, se hacen líderes peligrosos negativos, tanto para ellos mismos, como para los demás. Son los que están buscando el aplauso y cuidando el puesto, en vez de obedecer a Dios.

Contender con otros líderes

Es realmente triste el punto, pero cada vez que observamos la historia de la iglesia cristiana, a menudo la vemos peleando. Líderes que se destruyen por competir con otros líderes, que tienen en su ser interior el propósito siniestro de destruir a los demás. Debemos recordar que no estamos para competir, sino para construir juntos el reino de Dios. Aunque no nos guste, debemos reconocer uno de los principios más simples del liderazgo: siempre habrá quien haga mejor que nosotros ciertas cosas.

Sentirse muy grandes

Existen los líderes que han tratado de romper el récord que Dios no les ha pedido que rompan. Nunca debemos olvidar que la grandeza personal no tiene lugar en el reino de Dios. Dios está en la búsqueda de quienes tienen un corazón perfecto, no un corazón competitivo. No debemos olvidar la historia del rey Asa, quien sentía que era personalmente capaz de decidir y hacer las cosas sin ayuda de Dios. Pero cuando el vidente le informó lo que Dios pensaba hacer, haciendo a Asa a un lado, éste tuvo el valor de rendirse y humillarse delante de Dios. Al hacerlo así, llegó a convertirse en un rey digno de ser imitado por muchos.

El liderazgo peligroso es necesario para nuestros días. La iglesia requiere de personas que usadas por Dios se conviertan en un auténtico peligro para Satanás y sus huestes de maldad.

Aplicación personal

Si usted desea ser un líder peligroso, entonces...

1. Haga un pacto con Dios de que usted le será fiel sin importarle el costo.
2. Establezca como su propio estándar o norma de vida dar lo mejor de sí mismo a Dios cada día.
3. Facilite y ayude a elevar el nivel de funcionamiento de los que están a su alrededor.
4. Prométase que no permitirá que los contratiempos lo derroten; más bien, que le serán de inspiración para superar los desafíos.
5. Arregle su vida de manera que sea aún más peligrosa en los días venideros.

Invitación

No se conforme con un liderazgo convencional, mediocre o del promedio. Usted puede ser un líder peligroso, una verdadera amenaza para las fuerzas del mal y un campeón para la gloria y el extendimiento del reino de Dios. Le animo a comenzar hoy mismo con una breve oración al Señor.

Oración

Te doy gracias, Padre celestial, porque me has salvado por medio de Jesucristo tu Hijo. Gracias porque te pareció bien llamarme y designarme una tarea dentro de la iglesia de la cual soy miembro. Te doy gracias porque me ofreces todo para ser una persona peligrosa contra las fuerzas del mal al comunicar tu Santa Palabra a quienes no la conocen.

Te ruego que me guíes y fortalezcas para desarrollar las disciplinas necesarias para convertirme en el ministro más peligroso que las fuerzas del maligno tengan que enfrentar. Mantén firmemente en mi corazón la seguridad de que Jesucristo siempre saldrá victorioso y que podré darle a él toda la gloria y la honra.

Capítulo 2
Liderazgo con autoridad

El "poder santificado" en una iglesia, comunidad, ministerio, persona, familia u organización cristiana es una verdadera tragedia. Como alguien lo expresó: "Con una iglesia así, ¿quién necesita a Satanás?". Creo que el ansia de poder, de tener un lugar especial, de ser reconocido, es una de las peores formas en que el pecado se manifiesta en la gente del siglo XXI. Es la necesidad neurótica que tenemos de controlar a los demás. Febrilmente buscamos cómo manipular, cómo llevar la batuta. Sin embargo, y por patético que parezca, por más que intentamos controlar las cosas, nunca logramos controlar las cosas más importantes: nuestra relación con Dios, nuestro matrimonio, la formación de nuestros hijos, nuestra carrera. Hay mucha ironía aquí: cuanto más buscamos el control, más matamos la vida de todo lo que nos es más importante. Nuestro anhelo de tener importancia y seguridad viene de Dios, pero con frecuencia, la manera en que intentamos satisfacer estas necesidades viene del lado opuesto. Pasamos por alto la enseñanza bíblica de que el poder del Señor se perfecciona en nuestra debilidad. Al contrario, intentamos glorificar a Dios por medio de nuestra naturaleza mundana, por medio del control. A veces Dios permite que seamos heridos antes de que aprendamos a renunciar al control.

El mundo nos ha programado para buscar con ansia el poder, que es la "prerrogativa de determinar lo que debe suceder, y la fuerza coactiva para hacer que los demás se sometan a los deseos de uno, aun en contra de su propia voluntad". Desde el comienzo del cristianismo hasta el presente la iglesia ha sido amenazada por las luchas por poder. A veces los miembros envidian el poder del pastor y se proponen socavarlo. En muchos casos las iglesias tratan, a como dé lugar, de dominar al pastor y controlarlo. Estas maneras de control se pueden dar de muy variadas maneras. Pueden debilitar al pastor por medio de una crítica constante. No oran por él, sino lo devoran y critican todo lo que hace. En grupitos, los miembros lo ponen en ridículo. Se afanan por empañar su imagen delante de la congregación. Lo mismo sucede con pastores y líderes que ejercen el poder sobre las congregaciones. Muchos entran en el ministerio porque lo ven como el camino hacia el logro del poder. Una manera en que el pastor intenta alcanzar y mantener el control en una congregación es trabajando como el "pastor pulpo", realizando todo el trabajo de la iglesia por sí solo. Algunos líderes en las iglesias a veces ven el ministerio como una oportunidad para ejercer el control, porque a menudo son personas frustradas en su diario vivir. Se sienten impotentes. Quizá se encuentran dominados en la casa o aplastados en el trabajo. De una u otra manera se sienten disminuidos por los demás y encuentran en la iglesia un campo donde pueden expresar su agresividad e imponerse. Encuentran que la iglesia les provee oportunidades, que no tienen en el mundo, para jugar con el poder.

Poder y señorío son las palabras que describen a quienes más dañan, en lugar de traer algún beneficio, al reino de Dios. Luchas constantes de poder y señorío son algunas de las causas más graves por las que las iglesias llegan a extraviarse en el camino, y a claudicar de su cometido de ser sal y luz en el mundo. Vivimos en un mundo que tiene sed de poder, ansias de controlar: maridos que buscan el poder sobre sus esposas, y esposas que buscan tener igual poder que sus maridos. Hay niños que luchan por liberarse del control de sus padres, y padres que tiranizan a sus hijos. Hay patrones que se gozan mangoneando a sus empleados, y empleados que establecen sindicatos con el propósito de imponer normas a sus patrones. Hay naciones que afanosamente amenazan la existencia humana al construir aparatos de guerra que las convierten en poderes mundiales. Vivimos en un mundo con ansia de poder, y lo más patético del caso es que la iglesia misma, que debería ser la expresión del abandono del poder, también entra en este juego diabólico, que la hace perder el rumbo y dirección que Dios estableció desde el principio. Pero no es de sorprender que este problema en la iglesia se hizo ya evidente desde hace dos mil años, en una peculiar entrevista entre Jesús y sus discípulos.

A pesar de observar patrones regularmente aceptados por la sociedad acerca del poder, Jesús expresó categóricamente: *Pero no es así entre vosotros* (Mar. 10:43). En Marcos 10:35-45 Jesús nos hace comprender los dos lados de la moneda en cuanto al poder y el servicio. Perspectivas de hombres y perspectivas divinas.

Concédenos que en tu gloria nos sentemos el uno a tu derecha, y el otro a tu izquierda...

Las expectativas humanas del poder

Concédenos que en tu gloria nos sentemos el uno a tu derecha y el otro a tu izquierda...

Debemos recordar un poco acerca de los personajes que protagonizaron este significativo episodio en la vida de Jesús: Jacobo y Juan. Jesús realizó su ministerio dándose a las multitudes; también se dio a los setenta, pero pasó más tiempo con "los doce". Finalmente, dentro de este grupo tenía tres que eran sus amigos más allegados: Pedro, Jacobo, y Juan.

Eran hombres sumamente ambiciosos. Cuando, según su opinión, se ganara la batalla y el triunfo final fuera una realidad, querían convertirse en primeros ministros de estado de Jesús. Tal vez su ambición había crecido porque en más de una oportunidad Jesús los había incluido en su círculo más íntimo, los tres escogidos. Quizá porque gozaban de una posición más holgada que los demás, creían merecer este honor. Según Marcos 1:20, su padre tenía dinero para contratar jornaleros. Puede ser que, con cierto sentido de superioridad, pensaran que su condición social les daba derecho a ocupar un lugar privilegiado. El caso es que los encontramos como hombres con anhelo de poder y dominio sobre los demás. Es evidente que **no habían entendido a Jesús.** Hasta ese momento encontramos que seguían ciegos a las evidencias del ministerio terrenal de Jesús. Él iba delante de ellos, según Marcos 10:32-34; por lo tanto inferimos que se enfrentaba a la decisión más importante de su vida, y que realmente no buscaba la compañía de los demás, sino solamente el enfrentamiento con el Padre para afirmar el rendimiento de su voluntad a él. Los discípulos iban con temor y santa expectación.

Lo más sorprendente no fue el hecho de que sucediera este incidente, sino el momento en que sucedió. Por un lado la predicción más definitiva y detallada que Jesús hizo sobre su muerte, y por el otro lado esta petición que resulta absurda y fuera de lugar. A menudo no entendemos lo que Jesús está tratando de decirnos porque estamos más interesados en ser tomados en cuenta y que nuestras demandas sean atendidas, sin comprender en lo más mínimo el dolor ajeno. Jesús hablaba de muerte y cruz, y los discípulos hablaban de anhelo de poder y señorío. Él acababa de anunciar el clímax de su sacrificio redentor, pero parece que los discípulos no comprendían las implicaciones de sus palabras ni la angustia del Señor. Lo que ellos querían era ser atendidos en sus egoístas peticiones, que sencillamente se entendían como: "Sí, Jesús; está bien lo de tu muerte y esas cosas, pero aquí lo importante es que me des un lugar de poder y dominio".

Los resultados de este enfoque

¿Qué más puede traer un enfoque egoísta y con ansia de poder, sino enojos y murmuraciones? Los resultados de quienes desean ejercer dominio y poder sobre los demás son profundo resentimiento y dolor. A los discípulos debió parecerles que Jacobo y Juan se estaban aprovechando de su cercanía con el Señor. Esta es una vieja controversia, la cual evidentemente había sido discutida ya en el pasado. Un indicador de que estamos haciendo las cosas sin poder es la aceptación gustosa de quienes nos observan. Pero cuando obramos en base al poder, el cual regularmente coacciona, siempre estaremos observando irritación, enojo y disgusto de parte de algunos. En cualquiera de las esferas de nuestra vida y ministerio siempre veremos que el uso del poder (en el hogar, de los esposos sobre las esposas y viceversa, de los hijos mayores sobre los menores, de los hijos sobre los padres; en otros ambientes, de jefes sobre obreros y viceversa, y hasta en la misma iglesia de Jesús) siempre deja lesiones, dolor, destrucción y amargura. El selecto grupo de seguidores de Cristo no fue la excepción, sino que cada uno de ellos llegó al punto de la molestia. La pregunta clave a todo esto es: ¿Quién de los dos grupos estaba en lo correcto? ¿Quiénes estaban equivocados en sus apreciaciones? Culpamos a Jacobo y a Juan, pero ¿acaso el motivo de los demás no era el mismo, sólo que no se atrevían a expresarlo? Los móviles de Juan y Jacobo eran el poder y el dominio, y los móviles de los demás eran exactamente los mismos. En una escena de poder es triste ver todos los ángulos: por un lado está quien hace gala de su supuesta superioridad, y por el otro lado están aquellos que desearían hacer lo mismo si pudieran. Cuando así hay expresión de poder humano "santificado", todos pierden.

Que Dios nos ayude a librarnos de esta obsesión de desear el poder, ya que esto es anticristiano y opuesto al deseo de Dios en nuestras vidas. Reconozcamos que la fe cristiana se manifiesta en aquellos que reconocen su debilidad y quieren hacer que el amor sea el cimiento de sus vidas.

Las expectativas de Jesús acerca del poder

Es evidente que si Jesús no hubiera intervenido, se hubiera roto la armonía fraternal del grupo apostólico. Los llamó y les comentó con toda claridad la diferencia entre las normas de la grandeza que rigen en su reino y las normas del reino de este mundo. Jesús explicó varias cosas dignas de toda nuestra consideración.

Pero no será así entre vosotros, sino el que quiera hacerse grande... será vuestro servidor...

Reconoció las prácticas comunes del mundo. En el reino de este mundo el criterio de la grandeza es el poder. La prueba es: ¿Cuántos hombres están bajo su control? ¿Cuántos lo obedecen y están bajo sus órdenes? ¿Sobre cuántos puede imponer su voluntad? ¿A cuántos puede obligar a obedecer sus palabras y hacer cosas para él? Las cosas no han cambiado demasiado. Todavía el hombre tiene ansia de poder, ese anhelo de controlar el destino de los demás, y de ser libre para realizar su potencial sin restricción alguna. Desea ser libre de toda limitación y trascender lo que proscribe tanto Dios como la sociedad y deshacerse de cualquier responsabilidad para con los demás. Un escéptico alemán, al no poder soportar la idea de que existiera alguien más poderoso que él mismo, dijo: "Si existieran dioses, tendríamos que asesinarlos por envidia".

Declaró que en su reino las cosas no serían iguales. En el reino de Jesús el criterio es el servicio. **Poder contra servicio.** La grandeza en el reino de Jesús no consiste en someter a los demás a servidumbre, sino en someterse uno mismo al servicio de los demás. La prueba es: ¿Cómo está mi vida siendo usada por Dios para bendecir a otros? ¿Hasta dónde mis motivaciones son solo el amor genuino a Dios y no a mis propias satisfacciones? ¿Cuánta gente en mi alrededor está siendo tocada por Dios a través de mi vida? Uno de los problemas fundamentales de la raza humana es que demasiados hombres tratan de hacer lo menos que pueden, y pretenden recibir más que los demás. En el reino de Dios las cosas no se dan en términos de poder, sino de servicio.

¿Quiere un lugar para usted cerca de Jesús? Los versículos 38 al 40 nos hablan de la realidad del lugar que sí podemos obtener cerca de Jesús:

Entonces Jesús les dijo:
—No sabéis lo que pedís. ¿Podéis beber la copa que yo bebo, o ser bautizado con el bautismo con que yo soy bautizado?
Ellos dijeron:
—Podemos.
Y Jesús les dijo:
—Beberéis la copa que yo bebo, y seréis bautizado con el bautismo con que yo soy bautizado. Pero el sentaros a mi derecha o a mi izquierda no es mío concederlo, sino que es para quienes está preparado.

"Beber la copa" y "ser bautizados" son dos fuertes metáforas judías.

Beber de la misma copa. En los banquetes reales el rey acostumbraba ofrecer su copa a los invitados. La copa se convertía entonces en una metáfora para referirse a la vida y a la experiencia que Dios ofrecía a los hombres.

Ser bautizados con el mismo bautismo. Jesús estaba preguntando: ¿Pueden ustedes soportar la experiencia terrible que debo soportar yo? ¿Pueden tolerar sumergirse en el odio, el dolor y la muerte, como debo hacerlo yo? En pocas palabras, Jesús estaba diciendo que el que desea un lugar muy cerca de él no debe esperar uno de poder y gloria, sino uno de sufrimiento y muerte.

Jesús enseñó con su propia vida las declaraciones de su prédica. La estrategia de Jesús fue sencilla y contundente: **Servir y dar.** Solamente cuando alguien está dispuesto a dar más de lo que recibe, cuando está dispuesto a servir a los demás, podrá lograr la felicidad y el gozo duradero. Jesús hubiera podido ordenar el universo entero para satisfacer sus propias aspiraciones y comodidad, pero lo que hizo fue ofrecer su poder para ponerlo al servicio de sus semejantes. Vino a dar y a servir. ¿Cómo podemos resumir la dinámica de **dar y servir**? Con la **fuerza del amor**. Dicen que el dolor es el precio de amar mucho. No puede haber amor que excluya la posibilidad del dolor. Jesús dio su vida para que nosotros fuéramos arrancados de nuestros pecados y que regresáramos a Dios. Debemos reconocer que en la cruz sucedió algo que abrió para nosotros el camino de acceso a Dios. Comprendamos que la salvación también echa por tierra los intentos de ganarla o comprarla por ejercicio del poder. La gente enamorada del poder no soporta la verdad de la salvación por la gracia, ya que quiere ser la capitana de su propio destino. Quiere depender únicamente de sus propios esfuerzos para controlar su vida. A tales personas les cuesta mucho aceptar que la salvación viene por entregarnos a Dios y dejar que él haga lo que no podemos hacer nosotros. Jesús salva a los que en su debilidad llegan a él. Desgraciadamente, para los que pretenden tener el suficiente poder para ganar su salvación a través de las buenas obras, no hay oportunidad.

Aplicación personal

Si usted desea ser un líder con autoridad, entonces...

1. Pida al Señor diariamente que le muestre si hay en usted deseos y acciones de control.
2. No asuma usted toda la carga del trabajo; delegue tantas responsabilidades como sea posible.
3. Procure la actitud de Cristo en todas sus acciones, la disposición de servir en la posición más humilde.
4. Pida perdón al Señor cuando sienta envidia por la "grandeza" de alguien.
5. Procure servir tanto como pueda.

Invitación

Decida ahora mismo ser la clase de líder con autoridad que depende del poder de Dios para su ministerio y no de su propia habilidad personal. Un líder que delega responsabilidad en los demás y que desea la gloria y la honra solamente para el Señor.

Oración

Señor Jesús: Ayúdame a ser como fuiste tú en tu ministerio terrenal. Que dependa de la dirección del Padre y que sepa servir humildemente como lo hiciste tú. Que no procure ministrar en mi poder egoísta, sino en tu poder. Que la gloria que busque sea la tuya, y que yo sepa negarme a mí mismo como lo hiciste tú, al dejar tu gloria al lado del Padre y venir al mundo como siervo. Amén.

Capítulo 3
Liderazgo frente al fracaso

¿Se ha hecho usted alguna vez las siguientes preguntas? ¿Encuentro el fracaso muy amenazador, y hasta aterrador? ¿Siento dificultad para admitir que me he equivocado, o que he fracasado? ¿Me siento paralizado en ocasiones por el temor al fracaso? ¿Experimento sentimientos interiores de fracaso, a pesar de las apariencias externas de éxito?

Si ha respondido que sí a cualquiera de las preguntas anteriores, está observando los síntomas de una vida que tiene dificultad para enfrentar el fracaso. Todos nosotros podemos fracasar. Después de todo ¡no somos perfectos! Nadie escapa a esa posibilidad. Es de esperar que cometamos errores y experimentemos el fracaso.

En una cultura como la nuestra, orientada hacia el triunfo y los logros, el fracaso nos golpea como un puñetazo en el estómago. Los fracasos repetidos resultan a menudo en golpes que nos dejan fuera de combate y que a muchos los hace darse por vencidos. Emocionalmente, el fracaso es extremadamente costoso. Nos deja con sentimientos de culpa, de propia condena y de duda. Por tanto, no es de sorprender que se tema al fracaso y que el riesgo atemorice tanto.

Quizá usted se siente aplastado por los fracasos del pasado y, por consiguiente, tiene una frágil imagen propia.

Los efectos del fracaso

El fracaso es un amo implacable que nos acompaña con demasiada frecuencia en la jornada de la vida. Después de fracasar, generalmente intentamos evitar cualquier error futuro tomando uno de dos caminos:

• El camino más común que se sigue es el de actuar aceleradamente. Nuestros fracasos nos motivan a mantenernos por delante del desastre que se avecina. El temor al fracaso es como una sombra que nos pisa los talones y amenaza con atraparnos. Sobre la base de nuestro éxito en evitar los fracasos, llegamos a una conclusión falsa: que nuestra dignidad y nuestro valor residen en nuestra manera de hacer las cosas.

• El otro camino es el de la resignación o pasividad. El precio del fracaso es excesivo. Se manifiesta con desaprobación, ira, culpa impuesta, ridículo y rechazo. Así que evitamos todos los riesgos innecesarios. Una vida sin riesgo parece segura y tranquila, pero resulta en culpa, aburrimiento, apatía adicional, e incluso sentimientos de inferioridad.

Encontramos una anatomía del fracaso en la vida de Moisés. Éxodo 3 comienza con Moisés en el exilio por su fracaso. Acababa de asesinar a un egipcio y, temiendo por su vida, huyó al desierto, escondiéndose del faraón. Durante cuarenta años Moisés vivió exiliado en el desierto, acosado indudablemente por una hueste de voces condenatorias que le recordaban que había sido rechazado por la nación judía así como también por su familia egipcia de adopción. Cuando Dios acudió a él en la zarza ardiendo, Moisés estaba luchando con un problema de identidad, el resultado de su fracaso, rechazo y cuarenta años de ser un extraño en el desierto. Estaba lleno de perplejidad acerca de sí mismo.

Reflexiones clave

- Dios le dijo que lo iba a enviar a liberar a los israe-
litas, a lo que Moisés respondió: *¿Quién soy yo?* Dios
le dijo simplemente: *Yo estaré contigo.* Por encima de
todo, Moisés necesitaba la presencia tranquilizadora
de Dios. Sin él, Moisés nunca podría estar delante
del faraón. El rechazo sería demasiado penoso. Dejado a solas, ciertamente fracasaría.

- La próxima pregunta de Moisés fue: *¿Quién eres? ¿Cuál
es el nombre del que me envía?* Dios le respondió con su
gracia. Aunque le dijo a Moisés quién era, Moisés se
resistió de nuevo a su mandamiento y escuchó las
voces acosadoras de la duda de sí mismo. Éxodo 4:1
revela los sentimientos de incertidumbre de Moisés:
*¿Y si ellos no me creen ni escuchan mi voz, sino que dicen:
"No se te ha aparecido Jehová"?* Entonces Dios le dio a
Moisés dos señales de su presencia divina. Primera,
transformó la vara de Moisés en una serpiente. La
segunda señal fue la aflicción instantánea de la mano
de Moisés con lepra y su restauración igualmente
instantánea y milagrosa. Estas dos "ayudas visuales"
quedaron grabadas en la memoria de Moisés para
recordarle que la presencia de Dios era poderosa y
transformadora. Dios estaba con él.

- A pesar de estas demostraciones convincentes de la om-
nipotencia de Dios, Moisés dijo: *Oh Señor, yo jamás he sido
hombre de palabras, ni antes ni desde que tú hablas con tu siervo. Porque yo soy tardo de boca y de lengua.* Dios le recordó
a Moisés quién hizo su boca. Le dijo que él le enseñaría
lo que debería decir. Aun después de este diálogo,
Moisés se atrevió a responder: "No puedo hacer lo que
me pides. Por favor, escoge a alguna otra persona". En
lugar de centrarse en Dios, Moisés se centró en sí mismo.
Era como el niñito en la función escolar que tenía que
recitar sólo una línea, que era: "Soy yo, no se asusten";
pero cuando llegó la noche de la función, el niño salió al
escenario y exclamó: "Soy yo, y estoy asustado".

Sólo cuando Moisés vio que no había modo de librarse, se sometió al llamamiento de Dios. Estaba tan convencido de su propia indignidad que Dios tuvo que tomar tiempo para convencerle de lo contrario.

Las razones de nuestros fracasos

El fracaso proviene de no alcanzar normas: las de Dios, las nuestras y las de otros. Fracasamos porque somos humanos. El fracaso constituye una parte del tejido defectuoso de nuestra humanidad. Como seres humanos, somos agudamente conscientes de nuestras insuficiencias y de nuestros fracasos, a causa de nuestra relación con un Dios perfecto, justo e intachable. ¡Con frecuencia, también hay otros que están dispuestos a informarnos rápidamente cuando fracasamos!

Es consolador saber que no estamos solos: otros han necesitado y pedido el perdón de Dios cuando han fracasado. El rey David fracasó por su relación adúltera con Betsabé y el asesinato del marido de ésta. Pedro fracasó al negar a Cristo. Tomás dudó, y Saulo (Pablo) consintió en el asesinato de Esteban. Pero ninguna de estas vidas representa un fracaso total. Buscaron el perdón. No se dieron por vencidas. Persistieron. La fidelidad, a pesar de los fracasos personales, fue su marca.

El antídoto para los que fracasan

La única persona en este mundo que nos puede ayudar a ver el fracaso más bien como una oportunidad es Dios mismo. Debemos comprender algunos elementos de su persona, para poder ver el fracaso de esta manera creativa. Son como regalos o dones de Dios para cada uno de nosotros. Estos dones pueden eliminar lentamente el temor al fracaso y, con ello, el temor al rechazo.

El amor de Dios

Quizá los muchos fracasos de usted le enseñaron a esperar reacciones como el rechazo, la desaprobación y la ira de los que estaban encima de usted. Quizá aprendió a sentir que merecía el rechazo, que el rechazo "es la consecuencia natural del fracaso". Los padres, entrenadores, maestros, compañeros, amigos y amigas, hermanos y otras personas significativas le dieron una herencia personal, bien de éxito, o de fracaso. Sean cuales sean sus antecedentes, la Biblia nos enseña a un Dios que está por encima de todo esto. Un Dios que es incansable en dar ánimo y consuelo a quienes acuden a él. Es clara la palabra de Dios al respecto en Miqueas 7:18, 19: *¿Qué Dios hay como tú, que perdona la maldad y olvida el pecado del remanente de su heredad? No ha guardado para siempre su enojo, porque él se complace en la misericordia. Volverá a compadecerse de nosotros. Pisoteará nuestras iniquidades y echará nuestros pecados en las profundidades del mar.*

La afirmación permanente de Dios

Uno de los verbos más mencionados por los labios de Jesús fue: *No temas.* ¿Será que el fracaso produce en nosotros temor excesivo, y a menudo creemos que Dios está enojado con nosotros y que irremisiblemente nos destruirá? Esto nos habla de una raquítica comprensión de la persona de Dios en nuestras vidas, porque si algo encontramos en su Palabra es su constante afirmación. Isaías 41:9, 10, 13 nos afirma aun más cuando Dios habla a su pueblo: *"Yo te tomé de los extremos de la tierra, y de sus regiones más remotas te llamé diciéndote: 'Tú eres mi siervo; yo te he escogido y no te he desechado. No temas, porque yo estoy contigo. No tengas miedo, porque yo soy tu Dios. Te fortaleceré, y también te ayudaré. También te sustentaré con la diestra de mi justicia,... Porque yo, Jehovah, soy tu Dios que te toma fuertemente de tu mano derecha y te dice: 'No temas; yo te ayudo'".*

Dios sigue siendo fiel, y su Palabra es una fuente constante de afirmación sobre lo que somos para él.

La perspectiva de Dios

Una vida de fracaso debe contar con una perspectiva nueva de la vida. Debe ver a través de los ojos de Dios. Debe recordar que Jesús dijo: *Conoceréis la verdad, y la verdad os hará libres.* Debe comprender la verdad del gobierno soberano de Dios: que él está al control, que trae los errores de todos sus hijos a una perspectiva eterna. La promesa de Romanos 8:28: *Dios hace que todas las cosas ayuden para bien a los que le aman* ilustra de manera hermosa su absoluta supremacía. Estas palabras ofrecen consolación, recordándonos que Dios puede emplear nuestros errores y fracasos. En su economía nada se pierde. Otra perspectiva que usted debe considerar, a la luz de lo que Dios ve, es que la mayor parte de los fracasos no son tan enormes como nos parecen. Debemos ver la imagen global. Los errores no son tan monumentales cuando se ven a la luz de toda una vida.

El regalo de la disociación

La mayoría de las personas no se dan cuenta de que pueden fracasar y no ser unos fracasados. Estas personas encuentran difícil que se les critiquen sus ideas, trabajos o logros. Sienten que están siendo criticados y rechazados por lo que son, no sólo por lo que hicieron. Un maestro le dijo a una madre que su hijo no era buen estudiante. No podía aprender y nunca llegaría a ser gran cosa. Era un fracasado. La madre, sin embargo, decidió creer en su hijo en lugar de escuchar la voz de esta autoridad. Como resultado, aquel joven creció en un hogar rodeado de una aceptación amante, seguro, con el conocimiento de que era una persona con valía. A pesar de esto, siguió fracasando. De hecho, fracasó diez mil veces en el mismo proyecto antes de perfeccionar la bombilla eléctrica. Este fue Thomas Alva Edison. Fue su estrecha relación con el fracaso lo que llevó a Edison a comentar: "Fui fracasando en mi camino al éxito". La fe de su madre en él fue el combustible humano para su espíritu inventivo.

El perdón total de Dios

Los efectos del fracaso pueden ser desarmados por medio del milagro del perdón. Reciba el perdón de Dios y perdónese a sí mismo. El acto del perdón abre la puerta a la sanidad.

Pablo, de nuevo, nos da otro buen consejo en Efesios 4:32: *Sed bondadosos y misericordiosos los unos con los otros, perdonándoos unos a otros, como Dios también os perdonó a vosotros en Cristo.* Y en Colosenses 3:13 dice: *...Soportándoos los unos a los otros y perdonándoos los unos a los otros, cuando alguien tenga queja del otro. De la manera que el Señor os perdonó, así también hacedlo vosotros.* Todos los fallos necesitan del bálsamo del perdón.

¿Cómo imagina usted a Dios cuando ha pecado? ¿Lo imagina como un anciano enojado que sólo nos tolera? ¿O piensa que Cristo es su amigo que está obrando para detener la ira de Dios Padre? En este caso, ¿piensa que Dios desea darle lo que merece, a pesar de la intervención de Cristo? Tal vez nunca ha pensado así. Pero, ¿cómo ve a Dios cuando piensa acerca de su pecado? ¿Cómo piensa que ha de ser su expresión cuando viene a él con el mismo pecado viejo una y otra vez? ¿Qué piensa de su actitud hacia usted en vista de sus fracasos? ¿Sabe que Dios le ama pero ¿le agrada todo lo que hace? O ¿quizá piensa que le tolera, porque después de todo Cristo murió por usted? Muchos, en lugar de pensar en Dios como padre, y por ende sentir amor y aceptación, albergan sentimientos de temor, miedo, dolor y desilusión. Tal vez todavía no lleguen hasta lo profundo de su corazón las palabras de Pablo en Romanos 5:8: *Pero Dios demuestra su amor para con nosotros, en que siendo aún pecadores, Cristo murió por nosotros*. ¿Qué Dios como él, que perdona? Hasta que dejemos que este pasaje entre en lo más profundo de nuestro ser, no estaremos libres de los sentimientos de condenación que acompañan al pecado. La idea de ser perdonados no nació en nosotros, fue idea de Dios. La palabra es compasión. Sin la misericordia de Dios estaríamos totalmente perdidos. Cuando nos volvemos a él, no está amargado, frustrado, ni indignado, como lo estamos nosotros cuando nos ofenden, o cuando sentimos que las cosas no salieron como pensábamos, sino lleno de misericordia. Cuando nos enfrentamos con gente que nos ha herido, nuestra respuesta inicial es el resentimiento. Si somos espirituales, entraremos en oración para pedirle a Dios que nos restaure, para que veamos las cosas desde su perspectiva, hasta que logremos superar la situación. Dios no es así; lo primero que él hace es mostrar misericordia, porque se deleita en ello. No lo hace porque no tenga alternativa, sino porque se goza en amarnos. Dios jamás nos soporta; él nos ama absolutamente.

El fracaso puede parecer en la vida bastante atemorizador, pero cuando lo vemos desde la perspectiva de Dios, nos damos cuenta de nuevos matices y nuevas oportunidades. Todos alguna vez hemos fracasado, pero recordemos que tenemos un Dios de nuevas oportunidades.

Aplicación personal

Si usted desea ser un líder que se enfrenta con éxito al fracaso, entonces...

1. No tema al fracaso como una derrota personal. Una derrota no es el final, sino el umbral del triunfo.
2. Enfrente el fracaso positivamente, como una enseñanza que, con la ayuda y dirección de Dios, lo llevará a la meta propuesta por el Señor.
3. Afírmese en la idea de que fracasar no es un pecado y que no le desagrada a Dios.
4. Recuerde cada día que, por medio de Cristo, usted es más que vencedor.
5. No permita que el fracaso le impida seguir emprendiendo cosas para el Señor; cada fracaso es una nueva oportunidad.
6. Pida perdón al Señor, sinceramente y con arrepentimiento, cuando su fracaso sea moral, cuando se haya apartado del camino del Señor.
7. Acepte las críticas cuando fracase; puede aprender de ellas.

Invitación

Sea un emprendedor para el Señor que no teme enfrentarse al fracaso. Tenga el valor de atreverse donde otros no lo harían. Pida diariamente al Señor que le señale los desafíos que usted debe aceptar de él.

Oración

Amado Señor Jesús: Ayúdame a grabar en mi corazón que cuando fracaso soy más rico en experiencia, y que la esencia de un fracaso no es la derrota sino un desafío para triunfar. Recuérdame, cuando fracaso, que tu muerte en la cruz fue seguida por tu resurrección, y que tengo la victoria por medio de nuestro Señor Jesucristo.

Capítulo 4
Liderazgo que crece superando los problemas

Ciertamente en vano se tiende la red ante los ojos de toda ave. Pero ellos ponen acechanzas a su propia sangre; a sus propias vidas ponen trampa (Prov. 1:17, 18).

Si deseamos ser usados por Dios en nuestra tarea como líderes peligrosos, hemos de ser lo suficientemente sensibles para reconocer algunos problemas comunes del liderazgo, y para aprender algunos antídotos que nos ayudarán a crecer en los aspectos más valiosos del ministerio.

Primer problema: el líder que trata de hacerlo todo

Pensemos en uno de los hombres más dedicados y fieles usados por Dios en la apasionante historia del Antiguo Testamento. Me refiero a Moisés. No me cabe la menor duda de que este hombre experimentó una variedad de problemas semejantes a los que inexorablemente pasamos los líderes del siglo XXI. Los problemas principales que enfrentó Moisés eran:

1. **Trabajo en exceso.** A través de un simple ejercicio mental piense en la cantidad de trabajo que tenía Moisés cuando estaba al frente de cientos de miles de personas que eran un pueblo rebelde y duro de cerviz. Debemos pensar en la enorme cantidad de exigencias que tenía este siervo de Dios a causa de

ser el único que les atendía. Cada vez que observo a un líder con una agenda muy saturada le pregunto: "¿Corres hacia o huyes de?". A menudo el mucho trabajo es resultado de huir de compromisos personales que simplemente no queremos enfrentar. Todo líder eficaz y peligroso tendrá que ajustar su agenda antes de que Dios lo haga de maneras no muy agradables.

2. **Completo agotamiento.** Un problema más que Moisés seguramente enfrentó fue agotamiento. Todo aquel que está en el ministerio sabe por propia experiencia que uno tiene que imprimir fuertes cantidades de energía para tratar de satisfacer las crecientes necesidades del reino de Dios. Pienso en la vida de Moisés y estoy convencido de que pasó mucho tiempo sirviendo y ministrando, lo que seguramente le produjo agotamiento físico. Debo aclarar que hay una notable diferencia entre "cansarse en el ministerio" y "cansarse del ministerio". Cuando sucede lo primero, lo más espiritual y útil que uno puede hacer es parar y descansar. Al parecer esto no es muy espiritual, pero pregunto: "¿Qué tiene de espiritual un infarto?". Muchos líderes van quemándose por el mundo creyendo que la obra de Dios es ahora su responsabilidad porque piensan: "Dios evidentemente se tomó un descanso".

3. **Una dependencia no saludable.** Otro de los problemas que seguramente Moisés vivió fue la dependencia de la gente hacia su persona y ministerio. En nuestra cultura latina, tenemos muy apegado todavía el paternalismo que se da desde las esferas gubernamentales hasta los estratos religiosos. Dependencia. Sobre todo, puedo imaginar la impresionante carrera de estadista de Moisés, y el hecho de pensar en la enorme cantidad de personas que estaban dependiendo de él. Quizá eso sea bueno para el ego de líder, pero no para el crecimiento sano del pueblo de Dios.

Todos estos problemas generaron peligros para el siervo de Dios, que, en nuestro caso, si no estamos alertas, pueden convertirse también en peligros para nosotros mismos. *Soberbia.* Estoy convencido de que las dos pruebas más grandes de la vida son, sin lugar a dudas, la adversidad y la prosperidad. De estas dos, la más difícil de sobrellevar, por raro que parezca, es la prosperidad. Sé, por propia experiencia, que cuando las cosas no salen bien, tarde o temprano y en la mayoría de los casos nos ponemos en las manos de Dios y nos sujetamos a su voluntad. Sin embargo, cuando las cosas comienzan a salirnos bien, con frecuencia olvidamos que no es por nosotros, sino a pesar de nosotros, el que Dios esté haciendo su preciosa voluntad. Es relativamente fácil que los líderes que son bendecidos por Dios, como en el caso de Moisés, puedan llenarse de soberbia.

Relaciones humanas complicadas. Una persona con un liderazgo fuerte puede descuidar fácilmente lo más obvio de su vida: sus relaciones. No sólo descuidarlas, sino hasta complicarlas. Pensemos por un momento en la agenda de Moisés. Cuántas cosas estaría postergando de su propia familia a causa de una agenda llena. Cuántos reclamos no habría de Séfora, su esposa, a causa de sus llegadas tarde y prácticamente agotado. Sé que muchos que leen este libro dirán: "Pero la Biblia no dice nada de esto". Cierto, pero puede detectarse entre líneas. Y pienso que para los líderes de hoy, que están en la obra de Dios, resulta sumamente fácil postergar o aun perjudicar las relaciones más significativas a causa del ministerio mismo.

Murmuraciones. Tristemente, sé que si la murmuración fuera una actividad olímpica, algunas iglesias estarían disputando continuamente los primeros lugares. No era raro que en el ministerio de Moisés brotaran las murmuraciones.

Lo cierto es que la vida del líder peligroso puede perder esta peligrosidad cuando intenta hacer todo el trabajo él solo porque esto genera también en el pueblo mismo problemas de gran complicación.

Todos estos elementos que acabo de mencionar son el

resumen de lo que la misma Biblia dice: *Moisés oyó al pueblo que lloraba, de familia en familia, cada una a la entrada de su tienda, y el furor de Jehovah se encendió en gran manera. También a Moisés le pareció mal, y Moisés dijo a Jehovah: "¿Por qué has hecho mal a tu siervo? ¿Por qué no he hallado gracia ante tus ojos, para que hayas puesto la carga de todo este pueblo sobre mí? ¿Acaso concebí yo a todo este pueblo? ¿Acaso yo lo engendré, para que me digas: 'Como una nodriza lleva a un bebé, llévalo en tu seno a la tierra que juré dar a sus padres'? ¿De dónde he de sacar yo carne para dar de comer a todo este pueblo que llora ante mí diciendo: 'Danos carne para que comamos'? Yo solo no puedo llevar a todo este pueblo, porque es demasiado pesado para mí. Si así vas a hacer tú conmigo, concédeme por favor la muerte, si he hallado gracia ante tus ojos, para que yo no vea mi desgracia"* (Núm. 11:10-15).

El antídoto

Es tan simple como complicado: Delegar. *Entonces el suegro de Moisés le dijo: "No está bien lo que haces. Te agotarás del todo, tú y también este pueblo que está contigo. El trabajo es demasiado pesado para ti; no podrás hacerlo tú solo"* (Éxo. 18:17, 18). La reacción de Moisés es rara hoy en día entre el liderazgo cristiano. Hay escasez de mansedumbre. Es la Biblia misma la que dice que: *Moisés era un hombre muy manso* (Núm. 12:3). Se requieren fuertes dosis de mansedumbre si deseamos ser líderes peligrosos. Debemos usar nuestras antenas espirituales para ver las formas en que Dios desea hablarnos. Dios utilizó la vida del suegro de Moisés, y lo más sobresaliente fue que Moisés lo escuchó.

Entonces Jehovah dijo a Moisés: "Reúneme a setenta hombres de los ancianos de Israel, a quienes tú conozcas como ancianos y oficiales del pueblo. Tráelos al tabernáculo de reunión, y que se presenten allí contigo. Yo descenderé y hablaré allí contigo, tomaré del Espíritu que está en ti y lo pondré en ellos. Luego ellos llevarán contigo la carga del pueblo, y ya no la llevarás tú solo" (Núm. 11:16, 17).

Seguramente en su implementación del nuevo plan Moisés hizo algunas de estas cosas:

Reclutó. Es decir, tomó varones de entre el pueblo para asignarles tareas específicas. Parece fácil hacerlo, pero en realidad, tanto la inseguridad personal como la ignorancia hacen que muchos líderes de hoy en día no compartan el ministerio. **Entrenó.** Algo más que a menudo olvidamos es la capacitación constante de los que están en el ministerio. Mientras no hagamos de la capacitación algo intencional y parte de nuestra agenda, simplemente llevaremos a los líderes y a la iglesia a su máximo nivel de incompetencia. **Organizó.** Seguramente que estableció las formas y estructuras del liderazgo para evitar toda clase de confusiones y frustraciones del pueblo de Dios. **Equilibró su vida.** Esta es una de las partes preferidas de su servidor. Hemos dicho que los problemas de Moisés iban desde el mucho trabajo hasta el completo agotamiento, pero gracias a que delegó y compartió su ministerio y no intentó hacerlo él solo, simplemente equilibró su vida. Tuvo el tiempo tan deseado que los líderes del presente tanto anhelan.

Segundo problema: el líder deja de crecer

Cuando el líder deja de crecer, muere y produce una iglesia estéril. Muchos líderes hoy en día están atascados en los procedimientos y estrategias que funcionaron en el pasado. Hacer las cosas del pasado es uno de los vicios del liderazgo que simplemente coartan la posibilidad de experimentar con lo nuevo. Un ejemplo bíblico de este problema es el mismo Moisés. La historia se centra en un agudo problema que tuvo que enfrentar con el pueblo hebreo: la escasez de agua. Dios le había dicho en el primer episodio del problema: *Golpea la roca...*; sin embargo, la segunda vez Dios cambió simplemente el procedimiento y le ordenó: *Habla a la roca.* Quizá muchos de nosotros le hemos dicho al Señor: "Dios, nosotros nunca lo habíamos hecho así". Esto me lleva a la siguiente reflexión: los éxitos del ayer pueden ser piedra de tropiezo en el presente. Es como poner vino nuevo en odres viejos. Tanto en la vida como en el ministerio cristiano hay un cambio constante. Moisés quiso hacerlo en la forma vieja. Debemos recordar que el tradicionalismo y la falta de fe (inflexibilidad) dejaron a Moisés fuera de la tierra prometida. Nunca debemos olvidar lo siguiente:

a. No hay crecimiento sin cambios. Cualquier esfuerzo que requiera un resultado diferente tendrá que incluir procedimientos diferentes.

b. No hay cambios sin dolor. Todo cambio en la vida exigirá de nosotros esfuerzo y determinación. Salir de nuestra zona de comodidad nos producirá cierta sensación de dolor.

c. No hay dolor sin pérdidas. Quizá esta sea la razón verdadera del porqué de nuestro temor al cambio. Siempre experimentaremos alguna clase de pérdida.

—*Toma la vara, y tú y Aarón tu hermano reunid a la congregación y hablad a la roca ante los ojos de ellos. Ella dará agua. Sacarás agua de la roca para ellos, y darás de beber a la congregación y a su ganado.*

Moisés tomó la vara de delante de Jehovah, como él le había mandado. Luego Moisés y Aarón reunieron a la congregación delante de la roca, y él les dijo:

—*¡Escuchad, rebeldes! ¿Sacaremos para vosotros agua de esta roca?*

Entonces Moisés levantó su mano y golpeó la roca con su vara dos veces. Y salió agua abundante, de modo que bebieron la congregación y su ganado. Luego Jehovah dijo a Moisés y a Aarón:

—*Por cuanto no creísteis en mí, para tratarme como santo ante los ojos de los hijos de Israel, por eso vosotros no introduciréis esta congregación en la tierra que les he dado* (Núm. 20:8-12).

El antídoto

El antídoto es no dejar de aprender. No se trata en realidad de dedicación, sino de destreza. Muchos son los líderes que alrededor del mundo están haciendo grandes esfuerzos para desarrollar mejor su ministerio. Líderes que oran, que se esfuerzan, que luchan, que imprimen fuertes dosis de entusiasmo, pero que simplemente no logran los resultados deseados. Debemos recordar que cuando uno deja de crecer llega a su máximo nivel de incompetencia. En Eclesiastés 10:10 dice el sabio Salomón: *Si se embota el hacha y no es afilada, hay que añadir más esfuerzo. Pero es más ventajoso aplicar la sabiduría.* Si las cosas no están saliendo bien en la obra del Señor, no es cuestión de "echarle ganas", sino de **trabajar inteligentemente.** Muchos piensan que el crecimiento del liderazgo así como el de la iglesia se da cuando **hay pureza doctrinal, predicación de la Palabra, más oración y dedicación.** Hay muchas iglesias que hacen todo esto y, sin embargo, no crecen. A menudo la razón de que los líderes de iglesias no crezcan se debe a que dejaron de aprender. Debemos estar conscientes de que existe un tiempo para orar y un tiempo para actuar responsablemente. ¿Cuál es la nueva destreza que usted está desarrollando últimamente? Dos errores comunes a este respecto son:

a. Asumir toda la responsabilidad por el crecimiento de la iglesia (humanismo práctico).

b. Renunciar a toda responsabilidad (irresponsabilidad piadosa).

El corazón del entendido adquiere conocimiento (Prov. 18:15).

Si se embota el hacha y no es afilada, hay que añadir más esfuerzo. Pero es más ventajoso aplicar la sabiduría (Ecl. 10:10).

El que adquiere entendimiento ama su vida (Prov. 19:8).

Tercer problema: el líder deja de cuidar

El liderazgo tiene una parte oscura que difícilmente pueden ver los demás. Lamentablemente, en la sociedad moderna existe un nuevo dios, y este es el de "la imagen". Sin importar de quién o lo que cueste lograrla, el mundo se deja sorprender fácilmente por la imagen, es decir, por las apariencias. Recuerden la historia del ungimiento del sucesor del rey Saúl. Es por demás interesante notar que cuando llegó Samuel a la casa de Isaí, inmediatamente puso sus ojos en Eliab, quien a su parecer era el candidato idóneo para tomar la responsabilidad como rey sobre Israel. Pero Dios advirtió al profeta: *No mires su apariencia ni lo alto de su estatura, pues yo lo he rechazado. Porque Jehováh no mira lo que mira el hombre: El hombre mira lo que está delante de sus ojos, pero Jehováh mira el corazón* (1 Sam. 16:7). Esto me muestra una clara señal de los procedimientos que Dios usa para juzgar a sus hijos. Esto es especialmente verdadero cuando se refiere al caso de liderazgo. Pensando en otro de los reyes que gobernaron sobre Israel, viene a mi mente Amasías, del cual la Escritura se refiere en los siguientes términos: *Él hizo lo recto ante los ojos de Jehováh, aunque no con un corazón íntegro* (2 Crón. 25:2). Este rey tenía una manera muy particular de ser: hacía lo correcto pero, a veces lo resentía; y en ocasiones lo que hacía lo hacía con renuencia. Amasías hacía bien, pero no con el corazón. Es urgente que los líderes de hoy sepan identificar en lo más profundo de su corazón si el ministerio que están desarrollando es el producto de un corazón sincero, o más bien el no tener ninguna otra alternativa de desarrollo personal. Es fácil que como líderes perdamos nuestra pasión espiritual y, por ende, dejemos de crecer y de desarrollar un ministerio eficaz.

El antídoto

¿Cómo se aviva una pasión espiritual?

Mantenga su pasión espiritual. Es bien conocido el hecho de que el Cristo resucitado envió siete poderosas cartas a las iglesias de Asia Menor a través de su siervo Juan en el Apocalipsis. Jesús menciona enfáticamente a la iglesia de Éfeso: *Recuerda, por tanto, de dónde has caído. ¡Arrepiéntete! Y haz las primeras obras. De lo contrario, yo vendré pronto a ti y quitaré tu candelero de su lugar, si no te arrepientes* (Apoc. 2:5). Si somos sinceros, siempre vamos a poder identificar las áreas grises de nuestra vida. No sólo eso, sino que si hacemos un concienzudo examen personal, llegaremos a reconocer qué fue lo que sucedió y cuándo sucedió aquello por lo que comenzamos a perder nuestro nivel espiritual, o el comienzo de una gran decepción. Jesús es enfático cuando dice: *Recuerda... de dónde has caído*. Es un tiempo para que se detenga un poco y piense en aquellos sucesos dolorosos que aún no ha logrado olvidar o perdonar. Se puede tratar de una gran pérdida, o un gran dolor, o una terrible desilusión. Es tiempo de que dejemos el pasado en su lugar y nos extendamos a lo que está adelante.

El rey Uzías, a diferencia de Amasías, experimentó un sentimiento de entrega y compromiso con Dios, y esto avivó su pasión espiritual. Así lo dice la Escritura: *Se propuso buscar a Dios en los días de Zacarías, entendido en las visiones de Dios; y en el tiempo en que buscó a Jehovah, Dios le prosperó* (2 Crón. 26:5). Cuando ponemos en orden nuestro corazón, sin lugar a dudas que Dios nos usará para lograr cosas semejantes a las sucedidas en el reinado de Ezequías. La Biblia hace la mención de la siguiente manera: *Él buscó a su Dios en toda obra que emprendió en el servicio de la casa de Dios y en la ley y los mandamientos. Lo hizo de todo corazón y fue prosperado* (2 Crón. 31:21).

Cuarto problema: el líder que pierde el contacto con la gente

En la historia del rey Roboam hay asuntos dignos de toda consideración para los líderes del siglo XXI. Veamos:

—*Tu padre agravó nuestro yugo; pero ahora, alivia tú el duro trabajo y el pesado yugo que tu padre puso sobre nosotros, y te serviremos.*

Él les dijo:

—*Idos, y volved a mí dentro de tres días.*

El pueblo se fue. Entonces el rey Roboam consultó a los ancianos que habían servido a su padre Salomón, cuando aún vivía, y preguntó:

—*¿Cómo aconsejáis vosotros que yo responda a este pueblo?*

Y ellos le respondieron diciendo:

—*Si te constituyes hoy en servidor de este pueblo y les sirves, y al responderles les hablas buenas palabras, ellos serán tus siervos para siempre.*

Pero él dejó de lado el consejo que le habían dado los ancianos, y consultó a los jóvenes que se habían criado con él y que estaban a su servicio. Les preguntó:

—¿*Qué aconsejáis vosotros que respondamos a este pueblo que me ha hablado diciendo: "Alivia el yugo que tu padre puso sobre nosotros"?*

Entonces los jóvenes que se habían criado con él le respondieron diciendo:

—*Así contestarás a este pueblo que ha hablado contigo diciendo: "Tu padre hizo pesado nuestro yugo; pero tú, hazlo más liviano sobre nosotros"; así les hablarás: "Mi dedo meñique es más grueso que los lomos de mi padre. Ahora bien, mi padre cargó sobre vosotros un pesado yugo; pero yo añadiré a vuestro yugo. Mi padre os castigó con látigos, pero yo os castigaré con escorpiones"* (1 Rey. 12:4-11).

Debo entender que si tenemos un llamado al liderazgo, luego entonces las personas que nos siguen son las más importantes de nuestro ministerio. Bien lo dice John Maxwell: "Cualquiera que diciéndose líder sale por la calle sin que nadie lo siga, sólo está dando un buen paseo". Yo estoy de acuerdo con esto. La gente de Dios es lo más importante en el ministerio cristiano, y la razón es muy simple. Lo único que va a entrar en el cielo son personas. No entrarán edificios, ni programas, ni metas, ni planes, ni mucho menos las actividades que desarrollamos como iglesia, tales como campamentos, campañas, esfuerzos misioneros, etc. Lo único que sí entrará en el cielo son personas, y estas deben ser lo más importante de nuestro liderazgo. Es extraño observar la actitud que tuvo el rey Roboam cuando se le advirtió acerca de los muchos trabajos que estaba haciendo su pueblo, pues él no prestó atención a estas cosas, sino por el contrario, los presionó al grado de dividir el reino en dos. Hemos sido llamados a ser sensibles a las cargas y las presiones a las que la iglesia de Cristo está siendo sometida día a día. Debemos aprender de Jesús cuando expresó: *Venid a mí, todos los que estáis fatigados y cargados, y yo os haré descansar* (Mat. 11:28).

El antídoto

Siempre pida retroalimentación. La iglesia que tengo el privilegio de pastorear por casi 20 años ha sido una de las fuentes de inspiración más grandes de mi ministerio. Muchas de las cosas que han sido motivo de crecimiento, y que yo mismo he aplicado en mi ministerio, han sido el resultado de las buenas ideas que la misma congregación ha planteado. Desde hace años tenemos un pequeño formato que hemos titulado "sugerencias al pastor". Estas hojas están a disposición de todos los miembros de la iglesia, y en ellas los hermanos dejan plasmadas sus inquietudes, sus peticiones de oración, y también sugerencias para mejorar el ministerio. Mes a mes me encuentro con decenas de buenas ideas, además de conocer las necesidades reales por las cuales la gente está pasando. Si como líderes ignoramos a la gente que nos sigue, tarde o temprano dejará de hacerlo. Es de todos conocida la poderosa declaración del rey Salomón cuando expresó lo siguiente: *Donde no hay consulta los planes se frustran, pero con multitud de consejeros se realizan* (Prov. 15:22).

Quinto problema: el líder es malagradecido y conformista

Regresemos una vez más por un momento a la narración acerca de los reyes: *Ezequías puso su esperanza en Jehovah Dios de Israel. Ni antes ni después de él hubo otro como él entre todos los reyes de Judá, porque fue fiel a Jehovah y no se apartó de él, sino que guardó los mandamientos que Jehovah había mandado a Moisés. Jehovah estaba con él, y tuvo éxito en todas las cosas que emprendió. Se rebeló contra el rey de Asiria y dejó de servirle* (2 Rey. 18:5-7).

Es relativamente fácil caer en el error de creer que el éxito en el ministerio es por uno mismo. ¡Cuán equivocados estamos cuando pensamos así! Yo soy el primero en reconocer que Dios no obra a través de mí, sino a pesar de mí. Además, si somos parte de la iglesia, tendremos que reconocer, aunque a algunos no les guste, que una gran parte del trabajo que se lleva a cabo no es realizado por nosotros, sino por todos los miembros del cuerpo de Cristo que trabajan decididamente. Y la gran mayoría de ellos no recibe honorarios; simplemente lo hacen por amor al Señor. En el caso de Ezequías, había estado muy enfermo. Dice la Escritura que estuvo a punto de morir, pero Dios le devolvió su salud. ¿No era esta una buena razón para vivir eternamente agradecido?

Al parecer, es una buena razón, pero no fue así en el caso de este rey. *Dice la Escritura: Pero Ezequías no correspondió al bien que le había sido hecho; antes bien, se enalteció su corazón, y el furor de Dios vino contra él, contra Judá y contra Jerusalén. ...Ezequías tuvo éxito en todo lo que hizo, excepto en el asunto de los intermediarios de los jefes de Babilonia, que fueron enviados a él para investigar el prodigio que había acontecido en el país. Dios lo abandonó para probarlo, a fin de conocer todo lo que estaba en su corazón* (2 Crón. 32:25, 30b, 31).

Con frecuencia me encuentro con siervos de Dios que me expresan que se sienten terriblemente solos en el ministerio. Y cuando escucho estas lacerantes palabras, pienso: "¿No será una disciplina de Dios por falta de humildad y agradecimiento?". Debemos cuidarnos del peligro de querer servir para después ser servidos. No tengo la menor duda de que el éxito en el ministerio suele ser muy peligroso.

El antídoto

Una actitud de agradecimiento. Debemos recordar que todos los que hemos sido llamados al reino de Dios somos trofeos de su gracia. Tómese un tiempo para agradecer al Señor por todas sus bondades. Le doy una lista de ideas por las que usted debe caer de rodillas para darle gracias al Señor.

Está más allá de toda condenación.

Está libre de la ley.

Está cerca de Dios.

Está libre del poder del mal.

Es miembro de su reino.

Es justificado.

Lo han adoptado.

Tiene acceso a Dios en cualquier momento.

Es parte del sacerdocio del Señor.

Jamás lo abandonarán.

Tiene una herencia imperecedera.

Es partícipe con Cristo en la vida.

Alguna otra idea_____.

El agradecimiento es un ingrediente esencial del liderazgo

peligroso. Cuanto más se esfuerce por estar agradecido con Dios y con los que le rodean, su influencia será más profunda y sana. ¿Puede pensar ahora mismo en las personas que Dios ha utilizado para formarlo y fortalecer su liderazgo? ¿Por qué ahora mismo no les escribe una nota o les hace una llamada de puro agradecimiento? Pensemos en las palabras del apóstol Pablo cuando dijo: *Doy gracias al que me fortaleció, a Cristo Jesús nuestro Señor, porque me tuvo por fiel al ponerme en el ministerio* (1 Tim. 1:12).

Sexto problema: el líder se hace arrogante

No hay pecado que más condene Dios que el pecado del orgullo. Muchos fueron los personajes bíblicos que cayeron en esta situación, y Dios los reprendió severamente. Comenzando con el diablo, y pasando por Nabucodonosor, Herodes y otros. La Biblia narra que fueron arrogantes, por lo que Dios los destruyó. Todavía recuerdo la historia de aquel gran predicador que bajando del púlpito después de haber compartido un poderoso sermón, cuando uno de sus congregantes le dijo: "El suyo fue un extraordinario sermón", él contestó: "Sí, ya el diablo me lo había dicho". La tarea nuestra no es brillar, sino reflejar la gloria de Dios. Más que buenos líderes o predicadores, la gente debe ver un profundo amor en nosotros hacia los demás. ¿Puede ahora mismo pensar en algún líder cristiano que tuvo mucha influencia, y que ayudó al crecimiento del reino de Dios en la tierra, pero que ahora se está enmarañado en las redes de la arrogancia? Con todo respeto, puedo casi estar seguro de que que cuando estaba siendo usado por Dios, jamás llegó a pensar que quedaría atrapado por su propio orgullo. Bien lo dice Pablo: *Así que, el que piensa estar firme, mire que no caiga* (1 Cor. 10:12). También la misma Escritura afirma categóricamente: *Porque Dios humilla a los altaneros, y exalta a los humildes* (Job 22:29, NVI).

El antídoto

Nunca deje de depender de Dios. Estoy seguro de que usted ya se ha encontrado varias veces en la Escritura con este poderoso texto: *Confía en Jehovah con todo tu corazón, y no te apoyes en tu propia inteligencia. Reconócelo en todos tus caminos, y él enderezará tus sendas. No seas sabio en tu propia opinión: Teme a Jehovah y apártate del mal* (Prov. 3:5-7).

Es tan sutil el asunto, que fácilmente lo olvidamos.

Recuerdo el caso real de un querido consiervo quien en sus primeros años de ministerio, cuando aún luchaba con el llamado de Dios a su vida, tuvo la inquietud de consultar a un experimentado siervo de Dios para saber su punto de vista. El asunto es que mi querido colega de ministerio no sabía cuál sería el mejor camino a seguir: si entrar al seminario para prepararse, o comenzar ya de lleno su servicio a Dios. Fue entonces cuando preguntó a este viejo lobo de mar del ministerio, qué debería hacer. El siervo experimentado lo vio a los ojos y le dijo: "¿Recuerdas lo que dice la Biblia en Jueces 15:15?". Mi amigo contestó: "No estoy seguro", pero fue inmediatamente a la Biblia para encontrar lo siguiente: *Y hallando una quijada de asno todavía fresca, extendió la mano, la tomó y mató con ella a mil hombres.* Se trataba de la hazaña de Sansón cuando dio muerte a mil hombres. Mi amigo quedó consternado y dijo: "¿Qué tiene que ver esto conmigo y mi llamado?". El anciano siervo respondió categóricamente: "Piensa por un momento: si Dios pudo hacer esto con una quijada de burro, imagínate lo que puede hacer con un burro completo".

Creo que Pablo entendía bien este asunto cuando dijo: *No que seamos suficientes en nosotros mismos, como para pensar que algo proviene de nosotros, sino que nuestra suficiencia proviene de Dios* (2 Cor. 3:5).

Séptimo problema: la distracción del líder

Es relativamente fácil que uno pierda el rumbo en el ministerio. Es tan serio el problema que Pablo tuvo que recordarle a Timoteo: *Cumple tu ministerio.* Seguramente a estas alturas de la vida y del servicio cristiano usted ha llegado a la misma conclusión que yo: siempre habrá más necesidades en el ministerio de las que uno puede suplir. Ahora mismo al escribir estas líneas he terminado de predicar en 7 diferentes cultos en sólo el fin de semana. Además, ya estoy echándole un ojo a mi agenda de esta semana, y mejor no les cuento. Próxima hora disponible para una cita: ¡¡¡3:00 a 4:00 de la mañana!!! Cuando tenemos una agenda muy saturada, con compromisos propios del ministerio, debemos recordar las palabras que Pablo escribió a Timoteo: *Cumple tu ministerio.* ¿Cuál? Se preguntaría Timoteo, a lo que Pablo seguramente hubiera respondido: "El que te dio Dios, no el que tú creías o el que te dio otro". Más bien el que corresponde a la fe que Dios te ha dado. Tanto usted como yo debemos recordar con urgencia que no somos responsables de todo lo que pasa en el mundo, sino de nuestro ministerio. Urge que los líderes de hoy sepan decir "no". Cuando somos llamados a realizar permanentemente una tarea que no tiene que ver con nuestro llamado y ministerio, simplemente debemos declarar: "No es mi tarea, no es mi llamado". Y cuando alguien siga insistiendo, hay que decirle: "¿Qué parte de la palabra no, no entiendes?". En mi caso, Dios me ha llamado a ser pastor, y cuando invierto mi vida en otras cosas dentro del mismo ministerio, descubro con tristeza que ya no tengo las energías para hacer aquello para lo cuál Dios me llamó. Debemos estar bien enfocados y preguntarnos constantemente: ¿Estoy en el lugar correcto? Hablando de los dones espirituales, ¿sabe una cosa? Dios le dará todo el poder para perseverar. Así lo promete en 2 Crónicas 16:9: *Porque los ojos de Jehovah recorren toda la tierra para fortalecer a los que tienen un corazón íntegro para con él.*

David se había hecho famoso al principio de su reinado pero un día se distrajo, se quedó en Jerusalén y mandó a otro en su lugar. Fue cuando cayó en pecado. *Aconteció al año siguiente, en el tiempo en que los reyes suelen salir a la guerra, que David envió a Joab junto con sus servidores y con todo Israel. Ellos destruyeron a los hijos de Amón y pusieron sitio a Rabá. Pero David se había quedado en Jerusalén* (2 Sam. 11:1). Pero ¿qué me dice de su hijo Salomón? No es menos terrible lo que él hizo: *Y sucedió que cuando Salomón era ya anciano, sus mujeres hicieron que su corazón se desviara tras otros dioses. Su corazón no fue íntegro para con Jehovah su Dios, como el corazón de su padre David* (1 Rey. 11: 4).

¿Cuáles son las distracciones de su ministerio? Otros ministerios, reuniones denominacionales, discusiones teológicas. Debemos tener siempre presente lo que dijo Jesús: *Ninguno que ha puesto su mano en el arado y sigue mirando atrás, es apto para el reino de Dios* (Luc. 9:62).

El secreto de una vida fructífera es EL ENFOQUE. ¿Sobre qué o quién tenemos la vista fija?

El antídoto

Mantenga un propósito firme en mente. *Miren tus ojos lo que es recto, y diríjase tu vista a lo que está frente a ti* (Prov. 4:25). Esta es la verdadera grandeza. Aquellos hombres y mujeres de Dios que se niegan a atascarse y a echar anclas en el pasado son los que persiguen los objetivos del futuro. Muchas son las personas que dicen: "Es demasiado tarde para cambiar". Las personas con determinación están tan preocupadas por los logros de la personalidad de Cristo en ellos, que olvidan las cosas malas del pasado, para vivir el presente con poder y sabiduría. Pablo, al final de su vida dijo: *He peleado la buena batalla; he acabado la carrera; he guardado la fe* (2 Tim. 4:7). Por ello aprovechaba al máximo cada día. Su vida fue de servicio incondicional a Dios y al prójimo, porque sabía que inexorablemente la vida continúa. Recordemos lo siguiente: *Hermanos, yo mismo no pretendo haberlo ya alcanzado. Pero una cosa hago: olvidando lo que queda atrás y extendiéndome a lo que está por delante, prosigo a la meta hacia el premio del supremo llamamiento de Dios en Cristo Jesús* (Fil. 3:13, 14).

Cuanto más crezcamos como líderes, más crecerá la gente que Dios puso bajo nuestro liderazgo.

Aplicación personal

Si usted desea ser un líder que crece superando los problemas, entonces...

1. No trabaje excesivamente tratando de hacer todo usted mismo.
2. No se esconda detrás del trabajo de los deberes personales que no quiere cumplir.
3. No permita que todos dependan de usted. Delegue responsabilidad.
4. No deje de crecer. Aprenda siempre, busque nuevas maneras de hacer el ministerio, no tema los cambios.
5. Cumpla su ministerio con un corazón sincero.
6. Enfóquese en las personas.
7. Dele siempre la gloria a Dios.
8. Dependa en todo del Señor.
9. No permita distracciones en su ministerio.

Invitación

Sea sabio en su ministerio. Si el Señor lo llamó, dependa completamente de él; manténgase renovado con su Palabra y siga el ejemplo de siervos exitosos como Pablo. Así será un líder peligroso.

Oración

Amado Señor: Dirígeme cada día en el ministerio al que me has llamado. Ayúdame a crecer superando los problemas que se presenten. Escudriña mi corazón y muéstrame si tengo motivos para ministrar que no son tus motivos. Ayúdame a buscar los cambios necesarios en el ministerio, a no temerles y a poner mi mirada en las personas por las que tú viniste a morir. Fortaléceme con el poder de tu Espíritu y ayúdame a evitar fortalecerme en la gloria de los hombres, para que seas tú el que sea glorificado.

Capítulo 5
Liderazgo motivador

Uno de los problemas más grandes que enfrenta la iglesia de hoy en día es el de la motivación. Es decir, cómo vencer la inercia y poner en acción a un grupo de creyentes. Siempre resulta más fácil dirigir un objeto que ya está en movimiento, que darle movimiento a uno detenido. Por esto, el líder debe estar siempre más interesado en la aplicación y el desarrollo que se le puede dar a un grupo, que en las habilidades de cada uno de ellos. Todas las habilidades del mundo no ayudarán a una persona que carece de motivación. Un motivo es aquel factor en una persona que lo impulsa a realizar una acción determinada. Dentro de este concepto podemos encontrar dos clases de motivaciones: la motivación extrínseca, que no proviene del individuo sino de las cosas que lo rodean, y la motivación intrínseca, que sí proviene del individuo mismo. Las motivaciones intrínsecas son siempre las más importantes, porque provienen netamente del individuo. Las motivaciones extrínsecas tienen mucho valor, pero solamente cuando sirven para despertar en el individuo sus motivaciones intrínsecas.

Las siguientes son formas sencillas con las que podemos motivar a los que han sido puestos bajo nuestro liderazgo.

Hacer ver a la gente su necesidad real

La primera forma de motivar a las personas es creando una necesidad al exponerlas a la realidad. De este modo, una persona puede responder a una necesidad que antes ignoraba. Existen multitudes de personas que tienen abundancia de problemas, pero nunca hacen nada al respecto porque no son conscientes de esos problemas en sus propias vidas. En este sentido, he notado que nosotros, en los círculos cristianos, usamos una mala filosofía. No trabajamos para solucionar los problemas reales de las personas, sino que muchas veces nos dedicamos a enseñarles cosas que no necesitan en ese momento.

Proveer a la gente de ejemplos reales

Otra forma de motivar es por medio de una demostración de la manera en que deben hacerse las cosas. El problema con muchas de las iglesias es que tienen demasiadas personas que están dedicando su tiempo a exhortar a la congregación a "hacer" cosas, pero nadie explica y demuestra exactamente cómo deben ser hechas. Un exceso de exhortaciones no lleva a la acción, sino a un montón de personas con complejos de inferioridad y sentido de culpa. La realidad es que casi todos los creyentes saben lo que deben hacer, pero pocos lo hacen debido a que no se les ha mostrado de qué manera hacerlo.

Mostrar gratitud y dar reconocimiento

Un método por el cual se puede motivar efectivamente a una persona es proporcionándole estímulos y reconocimiento. A menudo ocurre que las personas se desaniman porque se les está señalando en forma constante lo que hacen mal, en vez de reconocer lo que hacen bien. Las constantes críticas tienden a desinflar hasta a los más entusiasmados. La verdadera prueba de la eficiencia de un líder no se encuentra en lo que él sabe, sino en lo que saben sus seguidores. Sin la adecuada cantidad de reconocimiento y estímulo, ellos jamás van a tener la motivación para aprender lo que su líder sabe. La desconfianza en nuestras propias habilidades es un resultado directo de la falta de estímulo y reconocimiento en nuestras vidas. No olvide proveer siempre esto para los que está formando.

Ser entusiasta

Usted puede motivar a las personas con su propio entusiasmo personal. Uno de los problemas más comunes con que se enfrenta el líder cristiano es el de seguir manteniendo el entusiasmo a través de los años. Muchas veces parece que el ministerio se vuelve una rutina aburrida que no tiene dinamismo alguno. Si usted se siente así, es muy lógico que no motive a nadie en la iglesia, pues esa actitud nos está diciendo que la vida cristiana es aburrida. No hay nada tan contagioso como el entusiasmo. En todo lo que decimos y hacemos, debemos mostrar un entusiasmo tan grande que la gente quiera participar, y no sólo sentirse presionado para hacerlo.

Quitar cualquier raíz de amargura

Creo firmemente que va a ser muy difícil motivar a una persona que está enojada, llena de rencor o dolorida por cualquier razón. Lo que usted significa para una persona es mucho más importante que lo que usted puede decirle o hacer por ella. De hecho esto va a determinar la manera en que escuchará lo que tenga que decirle. Entre un líder y sus seguidores debe haber un clima de total aceptación. Sea sincero con aquellos que le rodean: permítales verle tal como es. A menudo he visto caer a algún líder por querer aparentar saber todas las cosas. Eso no produce aceptación; la gente se siente inhibida y, lo que es peor, también se da cuenta de que el líder no es honesto con ellos.

Profundizar las relaciones al grado de llegar a la amistad

Recuerde siempre este principio: cuanto más cerca esté de una persona, cuanto más estrechos sean los lazos que los unen, más grandes serán las posibilidades de motivarla. Nuestro problema es que muchas veces deseamos motivar a las personas sin conocerlas ni mostrar interés por sus vidas personales. Dondequiera que vaya, cultive las relaciones personales con los que le rodean. Tome tiempo para interiorizarse en lo que están viviendo otros. Escoja también, de entre su ministerio, algunas personas con las cuales puede pasar gran cantidad de tiempo, conviviendo con ellas. Verá cuán motivadas estarán cuando quiera alentarlas a una actividad determinada.

Ser amoroso por sobre todas las cosas

Una de las declaraciones más maravillosas de todas las cartas de Pablo es esta frase: *Sino que, siguiendo la verdad con amor...* (Ef. 4:15). Muchas de las relaciones que hoy se dan entre los líderes y su gente son sin amor. En el caso de Jesús y su influyente liderazgo, creo que ningún factor influyó tanto en el nivel de su motivación hacia los discípulos como el amor incondicional que él demostró hacia ellos. Por más graves que fueran los errores de ellos, siempre los siguió amando profundamente, a pesar de lo que eran.

*...sino que, siguiendo
la verdad con amor,
crezcamos en todo
hacia aquel que es
la cabeza: Cristo.*
Efesios 4:15

Aplicación personal

Si usted desea ser un líder peligroso, entonces...
Motive adecuadamente a la gente que dirige.

Invitación

Quiero animarlo a examinar con cuidado las formas de motivación de este capítulo y a ponerlas en práctica en su liderazgo después de orar por ello al Señor.

Oración

Amado Maestro: Te doy gracias por haberme puesto en posición de ser líder. Te suplico que me ayudes a serlo como lo fuiste tú, a comprender las necesidades de los creyentes, a dirigirlos a entender las realidades del mundo, a estimularlos con mi gratitud y reconocimiento y, sobre todo, a amarlos cualquiera que sea su condición. Amén.

Capítulo 6
Liderazgo aun en el sufrimiento

El sufrimiento es universal

En mi tarea al frente de una iglesia he visto a queridos amigos míos enterrar a sus hijos. He ayudado a otros en desastres de negocios y en pérdidas de trabajo. Otras parejas que he conocido han experimentado sufrimiento por infertilidad, enfermedades repetidas, envejecimiento, crisis de la edad madura, problemas con padres, rebelión adolescente, muerte de los padres, problemas financieros, hijos mayores que se divorcian, e hijos que arrojan deshonra sobre el nombre de su familia.

Todas esas personas han experimentado pérdidas. Algunas han sufrido golpes durísimos. Las dificultades produjeron fortaleza en muchos, mientras que otros parecía que no se recuperarían nunca.

Aunque la magnitud del sufrimiento nos golpea en repetidas ocasiones a lo largo de la vida, es probable que experimentemos en nuestras vidas tiempos de dolor en los que nos veamos forzados a aferrarnos a Dios y el uno al otro para sobrevivir. Estos tiempos azotan como una inundación repentina, sin previo aviso. Pero el sufrimiento no se limita a ocasiones de tragedia: la aflicción, el dolor y la angustia nos visitan de manera casi predecible en diferentes etapas de nuestras vidas, muchas veces durante tiempos de cambio y de tensión.

Cómo liderar en la tormenta

Las tormentas de la vida nos afectan de manera diferente a unos y a otros. El caso de Job es por demás impresionante. Satanás destruyó prácticamente todo lo que Job tenía: riquezas, siervos, a sus hijos y por último su salud. Por si fuera poco, le atacó con la falta de comprensión de su mujer. TODO LE FUE QUITADO. De su historia podemos aprender algunas buenas enseñanzas que nos ayudarán a liderar, aun cuando la tormenta arrecie.

Cuando el sufrimiento se acerca a nuestra vida tenemos algunas reacciones comunes:

1. Nos rebelamos. Puede ser la rebeldía contra el sufrimiento mismo; puede ser contra otra persona a la que se hace responsable del sufrimiento; contra el destino, o contra Dios mismo. Este tipo de persona no quiere admitir el sufrimiento de ninguna manera, por eso: PROTESTA, SE ENOJA Y RENIEGA.

2. Mostramos una actitud pesimista. Aquí no hay optimismo, sino una total actitud pesimista; no hay deseo de lucha ni de cambio, y por ende no hay aspiraciones de felicidad.

3. Mostramos una autocompasión absoluta. Así, decimos: "Nadie sufre como yo; si tan solo pudieran comprender cómo me estoy sintiendo, las cosas cambiarían". El que reacciona así es del tipo de persona que estructura su vida en la miseria.

La vida también ha ofrecido al hombre algunas opciones netamente humanas:

- Escuela budista. El sufrimiento termina cuando el hombre ya nada desea. La felicidad está en el nada desear. El que nada desea alcanza la felicidad, la perfección. Disciplina negativa.
- Escuela musulmana. Soporta. Soporta el sufri-

miento, ya que viene de arriba. No hay otro camino. No hay victoria.

- Escuela judía. Todo sufrimiento es la consecuencia del pecado. Todo sufrimiento, todo dolor, toda lágrima es originada por el pecado. Esta enseñanza es unilateral. Aunque la Biblia menciona este asunto, y recordamos a David y a Pedro que cuando se arrepintieron Dios les dio nueva esperanza, reconozcamos que no en todos los casos esto se aplica.

La Biblia nos enseña lo que podemos hacer cuando viene el sufrimiento como líderes de Dios.

Tenemos la libertad de procesar lo que está sucediendo en nuestra vida

En el mundo tendréis aflicción, pero ¡tened valor; yo he vencido al mundo! (Juan 16:33).

Todo el libro de Job es el relato del proceso que tuvo que pasar Job mediante el cual Dios lo ayudó a procesar lo que estaba pasando. Regularmente el sufrimiento puede venir de una manera tan atroz que no alcanzamos a comprender lo que está pasando.

En el caso de la gente que sufre, no debe esperarse que Dios haga accionar un interruptor que "solucione el problema" y luego otro para que "siga adelante". Generalmente no es así de fácil.

He descubierto que para llegar al producto final que Dios desea de nuestras vidas, debemos pasar por un proceso de toda la vida para llegar a ser como Cristo. Dios quiere conseguir nuestra atención, y a veces tiene que ejercer una acción radical. Cuando no queremos escuchar todo lo que está diciendo, él aumenta la presión en lugar de bajarla.

Podemos descubrir lo que necesitamos

Porque vuestro Padre sabe de qué cosas tenéis necesidad antes que vosotros le pidáis (Mat. 6:8).

Puede ser que alguien de su iglesia o sitio de influencia

esté buscando una solución para un problema. Puede ser precisamente que el aliento que está anhelando sea la participación activa de usted en la resolución de problemas. Pablo es un ejemplo de esto en su relación con Timoteo. Escribe en su segunda carta a Timoteo, estando bajo arresto domiciliario: *Procura venir pronto a verme.* Siempre me he preguntado: "¿Para qué?". Timoteo no tenía ni la influencia, ni el poder, ni los contactos políticos para cambiar la situación. Ni siquiera era más crecido en su fe que el mismo Apóstol. Probablemente la razón por la cual Pablo le pidió que fuera era, sólo para ¡estar con él! En muchos casos es precisamente lo que nuestra gente necesita. Somos necesarios allí, por si alguien necesita un hombro para llorar.

Podemos edificarnos ofreciendo perspectiva

Sabiendo que la prueba de vuestra fe produce paciencia. Pero que la paciencia tenga su obra completa para que seáis completos y cabales, no quedando atrás en nada (Stg. 1:3, 4).

El predicador en Eclesiastés 3:1, 2a, 4 escribió estas famosas palabras: *Todo tiene su tiempo, y todo lo que se quiere debajo del cielo tiene su hora. Tiempo de nacer y tiempo de morir;... tiempo de llorar y tiempo de reír; tiempo de estar de duelo y tiempo de bailar.*

Se consigue perspectiva mirando más allá de las piedras y peñascos que están haciendo estragos en la vida, a fin de ver todo el panorama de la vida.

Provea equilibrio para la evaluación que hagan los suyos de su propia vida recordándoles la fidelidad de Dios en el pasado.

Nuestra perspectiva de las circunstancias es favorecida cuando las Escrituras impregnan nuestra forma de pensar. A menudo, nuestros oídos están más agudamente afinados para oír la voz de Dios en tiempos de dificultad.

Eclesiastés 3:7b dice que hay *tiempo de callar y tiempo de hablar.* Confíe en que Dios le dará la sabiduría para saber cuándo estar callado y cuándo hablar, y qué palabras emplear para dar perspectiva a los que le rodean. Dios promete dar sabiduría si le pedimos con fe. Uno de los más grandes sentimientos de satisfacción proviene de saber que Dios nos ha dado la palabra oportuna en el momento oportuno. Y él lo hará.

Recuerde que el sufrimiento precede al fruto

Toda rama que está llevando fruto, la limpia para que lleve más fruto (Juan 15:2b). Un requisito previo para dar fruto en la vida cristiana es el penoso proceso de "podar". Jesús dijo: *Toda rama que está llevando fruto, la limpia para que lleve más fruto.* En amor, Dios ordena acontecimientos, circunstancias y relaciones en nuestras vidas con el propósito de que seamos más y más como Jesucristo. Su meta para nosotros es la piedad personal. La poda que tiene que hacer parece a veces severa; incluso demasiado dolorosa para soportarla, pero hay poco fruto sin poda.

> *Toda rama que está llevando fruto, la limpia para que lleve más fruto.*
> **Juan 15:2b**

Una niña pequeña estaba sentada sobre las rodillas de su abuelo recibiendo sabios consejos. Mientras sus ojos castaños miraban la profundidad de los ojos de él, el anciano de cabellos plateados le dijo: "Cariño, recuerda: la vida es como lamer miel de un espino".

Aplicación personal

1. No permita que el sufrimiento detenga su ministerio; aliméntese de él.
2. No se compadezca por su sufrimiento: usted no es el único que sufre, ni el que sufre más. Vea en derredor y escudriñe la Biblia.
3. Sufra con los que sufren.
4. Ayude a su gente a encontrar una perspectiva bíblica de sus sufrimientos personales.

Invitación

Sea un líder peligroso sacando riquezas de sus sufrimientos y compartiendo esa riqueza con los que sufren.

Oración

Señor, enséñame a soportar el sufrimiento con gozo y a tener un corazón compasivo con los que sufren.

Capítulo 7
Liderazgo en la debilidad

Es por demás difícil y quizá poco atractivo liderar a través de nuestras debilidades. Siempre que vamos a la Escritura procuramos buscar en sus relucientes historias aquellas que describen a los poderosos, a los sabios, a los principales estrategas de los cuales podemos aprender mucho. Los buscamos porque son una fuente inagotable de inspiración, dado que a nosotros mismos se nos ha dado la oportunidad de ocupar un lugar de liderazgo. Pero hablar de "debilidades" quizá no sea tan atractivo, y quizá ni se nos ocurre que Dios pueda usar nuestras áreas débiles para liderar. Lo que es verdad es que, si usted va a ser usado por Dios, va a cojear el resto de su vida. En este libro he tratado de plasmar la idea de que el liderazgo cristiano es diferente al secular (Mar. 10:42, 43).

Déjeme preguntarle algo muy personal: ¿Qué hace usted con sus debilidades? No puede afirmar que carece de ellas; el simple hecho de negarlas sería una fuente muy evidente de debilidad en su vida. Regularmente cuando nuestras debilidades hacen acto de presencia en nuestra vida, tomamos uno de tres caminos: las negamos, las escondemos o simplemente las excusamos. Lo que la Biblia enseña es que Dios quiere usar nuestras debilidades. Es interesante notar que Dios escoge a propósito a los débiles. En 1 Corintios 1:27 Pablo dice: *Más bien, Dios ha elegido lo necio del mundo para avergonzar a los sabios, y lo débil del mundo Dios ha elegido para avergonzar a lo fuerte.* Dios los elige para mostrar su poder. La guerra contra los madianitas descrita en Jueces 6 es un buen ejemplo de lo que estoy diciendo. ¿Puede pensar en que de todos los guerreros Dios utilizó sólo el 1% de los recursos disponibles? Dios usa a personas débiles y ordinarias.

Existen diferentes tipos de debilidades que se presentan a lo largo de nuestra vida. Una debilidad es lo que le limita en su vida y que usted no puede cambiar.

- Debilidades físicas. Puede tratarse de alguna enfermedad, o de una limitación en sus capacidades: quizá la edad o algún defecto personal.

- Debilidades relacionales. Quizá usted tenga un cónyuge débil, o hijos rebeldes que hacen difícil su liderazgo.

- Debilidades emocionales. Van desde depresiones, enojo, cicatrices del alma que no han sido atendidas adecuadamente, todo tipo de heridas y hasta la falta de talento.

Pablo lo expresó de una manera específica y tajante cuando en 2 Corintios 4:7 escribió: *Con todo, tenemos este tesoro en vasos de barro, para que la excelencia del poder sea de Dios, y no de nosotros.* Tenemos defectos y aun así Dios nos pone como recipientes de su poder. Cuando pensamos en el apóstol Pablo, reconocemos que él era espiritualmente fuerte, pero también que era física y emocionalmente débil. El apóstol Pedro dio una fuerte evidencia de esta misma condición, cuando en uno de los momentos más gloriosos de su ministerio usó la frase más contundente y precisa acerca de Cristo: *¡Tú eres el Cristo, el Hijo del Dios viviente!* (Mat. 16:16). Jesús afirmó que esto le había sido dado de lo alto, no era revelación de hombres, sino de Dios. Pablo y Bernabé, ubicados sobre su propia perspectiva cuando un grupo de hombres querían hacerlos pasar por dioses, dijeron: *Hombres, ¿por qué hacéis estas cosas? Nosotros también somos hombres de la misma naturaleza que vosotros...* (Hech. 14:15a). ¡Dios usa personas normales, no superestrellas! (Mar. 10:42, 43; Hech. 14:15; 1 Cor. 1:27; 2:3; 2 Cor. 4:7).

Si esto nos enseña la Escritura, entonces, ¿cómo liderar a través de las debilidades? Existen algunas verdades acerca de esto. Veámoslas:

- **Admita sus puntos débiles.** Si creemos ser fuertes, vamos a fracasar. Si deseamos una iglesia fuerte debemos confrontar nuestras debilidades. Si no las reconocemos, en la mayoría de los casos Dios producirá una crisis para imponernos el reconocimiento de cuán débiles somos. Vale la pena que se tome usted el tiempo para hacer una lista detallada de sus debilidades, para luego entender que si las cosas en el ministerio van bien, es por la gracia y el poder de Dios y no por nuestras potencialidades personales.
- **Agradezca sus debilidades.** Manténgase agradecido a Dios por sus flaquezas. De hecho esto es lo que enseña Pablo en 2 Corintios 12:9 al escribir: *Y me ha dicho: "Bástate mi gracia, porque mi poder se perfecciona en tu debilidad". Por tanto, de buena gana me gloriaré más bien en mis debilidades, para que habite en mí el poder de Cristo.* Piense por favor en lo que las debilidades producen en el siervo de Dios:

  ■ Garantizan la ayuda de Dios. Bien haremos en decir: "¡Señor yo no puedo más!", porque entonces Jesús dirá: "Soy lo único que necesitas". Usted no sabrá cómo, hasta que no tenga sino sólo a Dios. Además, si no tuviésemos flaquezas, no dependeríamos de Dios.
  ■ Impiden la arrogancia. Un aguijón es una debilidad. Puede ser algo hereditario que le causa limi-

taciones en el ministerio. Algunos aguijones son temporales y otros son permanentes, pero todos nos ayudan a evaluar la vida, nos motivan, nos mantienen en Dios. Dios escoge a los débiles para que la gloria sea suya y de nadie más. No olvide que la sala del aguijón es la entrada a la sala del trono de Dios.

■ Lo llevan a valorar a otros. Nadie tiene todos los dones. Además, los dones aparatosos no son los más importantes. Un ejemplo claro de esto son los órganos vitales de nuestro cuerpo. Dios usa las cosas más pequeñas. Podemos vivir sin un brazo, pero no sin páncreas; podemos vivir sin un ojo, y hasta sin los dos, pero no sin vejiga. Debe recordar que el ministerio y el mensaje mismo brotan del dolor más grande. Las cosas que más vergüenza le causan, o aquellas en las que más debilidad tiene, pueden ser usadas por Dios, si usted lo admite. Muchos pueden ser sanados mediante las heridas de usted.

■ Amplían su ministerio y liderazgo. Dios quiere usar nuestras vidas, incluyendo el sufrimiento mismo. Muy posiblemente lo que Dios está haciendo es tratar con alguna parte de nuestra vida que necesita ser moldeada. Dios desea utilizarnos y a la vez transformarnos a la semejanza con su Hijo Jesús.

• **Comparta sus debilidades.** Quizá piense usted que estoy yendo demasiado lejos, pero no es así. Deme la oportunidad de explicar este delicado asunto. ¿Por qué debe compartir sus debilidades? Quizá usted está pensando: "Compartir mis debilidades mostrará cuán vulnerable soy en la vida". Es precisamente en esto donde radica esta importante verdad. Algunas de las razones por las que debe compartir sus debilidades son:

■ Porque es emocionalmente saludable. Podemos llegar a compartir nuestras debilidades, y para ello se requiere de un grupo de apoyo ministerial donde pueda abrir su corazón sincero delante de los demás, sin la preocupación del "qué dirán". Así cumplirá con uno de los mandamientos bíblicos más importantes y a la vez más olvidados: *Por tanto, confesaos unos a otros vuestros pecados, y orad unos por otros de manera que seáis sanados. La ferviente oración del justo, obrando eficazmente, puede mucho* (Stg. 5:16).

■ Porque es espiritualmente poderoso. En Santiago 4:6 el autor bíblico muestra una fuente de poder para el hijo de Dios, que usted puede hacer suya ahora mismo: *Pero él da mayor gracia*. Por eso dice: *"Dios resiste a los soberbios, pero da gracia a los humildes"*. No es negar sus puntos fuertes, más bien es admitir sus debilidades.

■ Porque es relacionalmente atractivo. Tengo que hacerle una pregunta que requerirá lo más sincero de su alma para contestarla: *"¿Quiere usted impresionar o influir?"*. Este es un asunto vital al que deben responder todos los siervos de Dios en este siglo XXI. Como vivimos en una cultura que adora la imagen, entonces inconscientemente anhelamos impresionar a los que nos rodean. Sin embargo, Dios nos llamó a influir en los demás, no a impresionarlos. Dios mismo así lo ordenó a Jeremías: *Tienes que influir en ellos y no dejarte influir* (Jer. 15:19b, *Biblia al Día*). Le aseguro lo siguiente: Cuando uno impresiona, lo puede hacer de lejos; pero para que pueda influir, tiene que hacerlo de cerca. No se separe de la gente y manténgase altamente vulnerable para que dependa de la gracia de Dios.

■ Porque proporciona credibilidad. En 1 Corintios 11:1, Pablo reconoció su capacidad característica, y eso le dio credibilidad. Lo expresó así: *Sed vosotros imitadores de mí; así como yo lo soy de Cristo.* El líder debe fundamentar sus palabras en lo que hace. La credibilidad no viene del dominio, sino de la honestidad.

Pablo es buen ejemplo de un siervo de Dios que mostró abiertamente sus debilidades, y aun así fue poderosamente utilizado por Dios. Por lo menos se expresó abiertamente vulnerable en las siguientes áreas, por cierto, áreas de vulnerabilidad que también nosotros debemos compartir.

- Compartió sus flaquezas. *Yo sé que en mí, a saber, en mi carne, no mora el bien. Porque el querer el bien está en mí, pero no el hacerlo. Porque no hago el bien que quiero; sino al contrario, el mal que no quiero, eso practico* (Rom. 7:18, 19).
- Compartió sus sentimientos. *Nuestra boca ha sido franca con vosotros, oh corintios; nuestro corazón está abierto* (2 Cor. 6:11).
- Compartió sus faltas. *No que seamos suficientes en nosotros mismos, como para pensar que algo proviene de nosotros, sino que nuestra suficiencia proviene de Dios* (2 Cor. 3:5).
- Compartió sus frustraciones. *Porque no queremos que ignoréis, hermanos, en cuanto a la tribulación que nos sobrevino en Asia; pues fuimos abrumados sobremanera, más allá de nuestras fuerzas, hasta perder aun la esperanza de vivir. Pero ya teníamos en nosotros mismos la sentencia de muerte, para que no confiáramos en nosotros mismos sino en Dios que levanta a los muertos* (2 Cor. 1:8, 9).
- Compartió sus temores. *...Os escribí esto mismo para que cuando llegue, no tenga tristeza por causa de aquellos por quienes me debiera gozar. Porque os escribí en mucha tribulación y angustia de corazón, y con muchas lágrimas; no para entristeceros, sino para que sepáis cuán grande es el amor que tengo por vosotros* (2 Cor. 2:35).

Quizá usted todavía no ha llegado a discernir el poder que hay en nuestras debilidades, y quizá esto lo priva de una de las bendiciones más grandes que hay en el ministerio cristiano: la maravillosa posibilidad de ser usados por Dios, a pesar de...

Le animo a elaborar su propia lista de debilidades, y luego ponerlas delante de Dios, quien le amó y le llamó a pesar de eso. Y por si fuera poco, está totalmente dispuesto a usarlo para sus maravillosos propósitos, y al final de todo, saber que no fue a través de usted, sino a pesar de usted, que Dios se glorificó en su vida y ministerio.

Y para que no me enaltezca sobremanera por la grandeza de las revelaciones, me ha sido dado un aguijón en la carne, un mensajero de Satanás, que me abofetee para que no me enaltezca. En cuanto a esto, tres veces he rogado al Señor que lo quite de mí; y me ha dicho: "Bástate mi gracia, porque mi poder se perfecciona en la debilidad". Por tanto, de buena gana me gloriaré más bien en mis debilidades, para que habite en mí el poder de Cristo. Por eso me complazco en las debilidades, afrentas, necesidades, persecuciones y angustias por la causa de Cristo; porque cuando soy débil, entonces soy fuerte.

2 Corintios 12:7-10

Aplicación personal

Si usted desea ser un líder poderoso en medio de las debilidades, entonces...

1. Reconozca delante del Señor sus debilidades.
2. Evite dar una imagen de semidios.
3. No se avergüence de tener debilidades: escriba una lista de ellas y pídale al Señor que le descubra las que usted no ve.
4. No reproche al Señor las debilidades que usted tiene: ¡agradézcalas, porque lo obligan a depender de él!
5. Pida al Señor que le señale un hermano o hermanos confiables con los que pueda compartir sus debilidades y orar por ellas.

Invitación

Sea un hombre fuerte en su debilidad. Aprenda a depender completamente del Señor sin consideración ni de sus debilidades ni de sus capacidades.

Oración

Señor, quiero glorificarte con mi vida y con mi ministerio. Ayúdame a traer delante de ti todas mis debilidades, para que tú las uses para el extendimiento de tu reino.

Capítulo 8

El líder y su pasado

Todos tenemos un desván en el que guardamos el pasado. Es un lugar donde reliquias con una fuerte carga emocional siguen viviendo bajo sábanas y en cajas, arrumbadas en los rincones de nuestras mentes. Esos recuerdos, de cuando defraudamos a otros y de cuando otros nos defraudaron a nosotros, nos acosan y acusan.

En la actualidad hay muchos líderes cristianos que tienen que liberarse porque están encarcelados en los desvanes de su pasado.

No cabe duda que uno de los más terribles estorbos en nuestra vida tiene que ver con el pasado. A menudo éste se convierte en nuestro amo, pues muchas de las reacciones que tenemos, y hasta nuestras relaciones actuales, están estrechamente relacionadas con la manera en que manejamos nuestro pasado.

En el pasado de cada uno de nosotros hay por lo menos dos tipos de experiencias:

a. Todos nuestros logros personales.
b. Todas las maneras en que hemos sido afectados por los demás.

La Biblia está llena de recomendaciones en cuanto al pasado y acerca de la manera en que debemos enfrentarlo. Casos como el de José en el Antiguo Testamento y el de Pablo en el Nuevo son vívidos ejemplos de lo que los cristianos debemos hacer cuando el monstruo del pasado nos amenaza. Existen básicamente tres áreas principales en las que nuestros recuerdos llegan a anidarse poderosamente y que, con la ayuda del Espíritu Santo de Dios debemos identificar. Son calabozos que tienen atrapados nuestros pensamientos, los que debemos dejar salir para que Dios los sane y restaure para darle libertad a nuestra vida.

Primera área: los errores de los padres

Honra a tu padre y a tu madre, para que tus días se prolonguen sobre la tierra que Jehovah tu Dios te da (Éxo. 20:12).

Probablemente, ninguna relación suscita más reacción emocional, buena o mala, que la relación de uno con sus padres. Los padres son las dos personas más influyentes en el desarrollo de nuestra personalidad. Sus actitudes, sentimientos y acciones fueron registrados en nuestra conciencia cuando éramos niños. Formaron la base de nuestra personalidad. El que fuéramos alentados de continuo, o criticados de manera implacable, determinó la manera en que nos sentimos en la actualidad.

Señales de advertencia procedentes de su vida hogareña de la infancia

Características traumatizantes de la vida del hogar:

- Un hogar en el que no se toleraban los errores.
- Un hogar en el que el padre estaba distante, era autoritario y poco comunicativo.
- Un hogar donde admitir una necesidad era señal de debilidad.
- Un hogar donde el padre o la madre se ausentaba mucho.
- Un hogar donde la valía estaba vinculada con la forma de actuar.

Perdonemos a los padres

Antes de que seamos acusados de ser demasiado duros con los padres y de echarles toda la culpa a ellos, permítame que le señale tres importantes realidades:

Primera, todos somos imperfectos. Todos comenzamos la vida con las semillas negativas plantadas en nosotros porque somos descendientes de Adán y Eva. Nada hay que se pueda hacer para cambiar esta realidad.

Segunda, no hay padres perfectos. Nadie emprende la tarea de destruir a su hijo, pero todos los padres cometen muchos errores al criar a sus hijos. Algunos hacen un mejor trabajo que otros en su paternidad, pero no hay ninguna madre ni ningún padre que lo haga perfectamente.

Tercera, no debemos culpar a nuestros padres por lo que es nuestra responsabilidad hoy.

Antídotos para salir del área del pasado de nuestra familia

Primero, comience a trabajar para poner abiertamente el problema sobre la mesa. Hable acerca de cómo sus padres lo trataron, y comparta abiertamente sus experiencias. Tenga paciencia. Hablar de esas cosas puede ser muy penoso.

Segundo, pida a Dios que le ayude a comprender a sus padres. Hable con Dios y ponga su vida en una perspectiva apropiada. Recuerde que hicieron lo mejor que pudieron. Probablemente nunca leyeron un libro acerca de la paternidad, ni tampoco tuvieron otra instrucción.

Tercero, recuerde que la gracia y el poder de Dios son mayores que los errores de sus padres. No importa lo deficiente que haya sido el hogar de uno; Dios se deleita en resucitar una autoimagen dañada y en restaurar la dignidad de la persona.

Cuarto, pídale a Dios que le ayude a determinar cómo debe responder a sus padres. Usted no tuvo el control del trato que recibió en su infancia, pero sí tiene ahora el control de la manera en va a relacionarse con ellos hoy. Esto es importante aunque los padres no estén vivos. A veces, el recuerdo de un padre muerto puede ser poderoso, especialmente si se guarda amargura en el recuerdo.

Quinto, perdone a sus padres de manera total. Escoja tratar con su pasado de manera constructiva. El perdón es una decisión. Vacíe aquel rincón oscuro de su pasado haciendo en un papel una lista de todo aquello que pueda recordar por lo que pueda sentir resentimiento. Es posible que tenga que escribir también sus propias actitudes negativas que ha abrigado contra sus padres.

Pablo nos insta a perdonarnos *unos a otros, como Dios también os perdonó a vosotros en Cristo* (Ef. 4:32b). Perdonar a alguien significa abandonar el derecho al castigo.

Sexto, comience a honrar a sus padres de forma activa. Este es el aspecto inicial del perdón. Esto no sólo traerá bendición a sus padres, sino que también le traerá a usted una sensación de bienestar acerca de la vida. Esto se ve en uno de los Diez Mandamientos: *Honra a tu padre y a tu madre, como Jehovah tu Dios te ha mandado, para que tus días se prolonguen y te vaya bien en la tierra que Jehovah tu Dios te da* (Deut. 5:16).

Segunda área: Las presiones de grupo

Sólo en segundo lugar, después del hogar en cuanto a la influencia sobre nuestras vidas, está nuestra relación con el grupo de compañeros. Estas son las personas a las que tratábamos de impresionar más. Y dependía de si estábamos dentro o fuera del grupo que nuestra propia imagen se elevara o se hundiera.

Pablo nos dio un consejo al alertarnos a apartarnos del molde del mundo y a amoldarnos al sistema de valores de Dios: *Así que, hermanos, os ruego por las misericordias de Dios que presentéis vuestros cuerpos como sacrificio vivo, santo y agradable a Dios, que es vuestro culto racional. No os conforméis a este mundo; más bien, transformaos por la renovación de vuestro entendimiento, de modo que comprobéis cuál sea la voluntad de Dios, buena, agradable y perfecta* (Rom. 12:1, 2).

Los miembros del grupo pueden tener lenguas venenosas. "Un mote es la piedra más dura que el diablo puede echarle a un hombre". ¿Cómo lo llamaban mientras crecía? ¿Recuerda algunos de los nombres con que llamaban a otros?

Incluso hoy en día es posible que siga dependiendo mucho del grupo. Quizá se pregunte si estará llevando "la ropa adecuada", o si tiene la capacidad de relacionarse con los demás con la "fraseología" adecuada. Muchos adultos siguen siendo influidos por la presión para amoldarse a los valores de su grupo.

Cómo salir del oscuro rincón de la presión del grupo

Comience por decidir su propio sistema de valores. ¿Qué es verdaderamente valioso para usted y por qué? ¿Cuáles son los valores y las normas por las que quiere medir su vida?

Si no tiene su propio conjunto de convicciones (su propia escala de dignidad y valor), acabará empleando el del mundo. Estará dependiendo del grupo, y el criterio del mundo será la norma cambiante con la que medirá su vida.

Estudie las Escrituras. Aprenda lo que Dios valora, cómo servir a los demás, la obediencia y un amor supremo hacia Jesucristo. Al llevar su vida a la conformidad de los valores de Dios, tendrá un conjunto singular de convicciones que le darán un valor fundamental. Sus convicciones, no las de la masa, decidirán cómo va a vivir.

Finalmente, invierta su vida en valores duraderos. Incorpore a su vida los valores siguientes y enseñe a los suyos a hacer lo mismo:

- El valor de su familia.
- Ministrar a las necesidades espirituales de otros.
- Ayudar a los pobres y a los hambrientos.
- Compartir con otros las buenas nuevas de Jesucristo.

Todo esto da valor, dignidad y sentido a nuestras vidas.

¿Hasta qué punto lo que hoy es y hace usted está determinado por lo que el grupo de amigos le impusieron en el pasado?

Tercera área: los recuerdos en general

El tercer elemento que está profundamente atado a nuestro pasado puede provenir de todas las experiencias dolorosas, en general, que hemos tenido. Puede ser un error que le acusa y condena como persona, diciéndole que no merece ni amor ni aceptación; o quizá se sienta acosado por malas decisiones, por malos juicios o por algún pecado secreto. ¿Se siente cargado por la culpa de alguna experiencia sexual de su infancia o adolescencia, o quizá incluso por una rebelión voluntaria contra Dios al quebrantar una de sus leyes?

Cómo limpiar el rincón oscuro del pasado

Dios puede usarlo a usted mismo para liberarlo de los recuerdos obsesionantes guardados en su desván.

Primero, recuerde que Dios está listo para perdonar y para olvidar. La Biblia dice: *¿Qué Dios hay como tú, que perdona la maldad y olvida el pecado...* (Miq. 7:18). Parece que todos tenemos una morbosa curiosidad acerca de los fracasos de otros. Aprendamos de Dios, quien está dispuesto no sólo a perdonar nuestros fracasos, sino a olvidarlos también.

Segundo, asegúrese de la aceptación de Dios. Uno de los grandes temores de todos los hombres puede ser el hecho de que otros descubran quiénes somos y lo que hemos hecho, y que por eso nos rechacen. La mayor necesidad que tenemos es tener la certeza de que somos aceptados y amados. Este ambiente provee un clima para la sanidad y el crecimiento.

Tercero, si usted ya ha confesado sus fracasos pasados a Dios, le recuerdo que él ya lo ha perdonado, y por lo tanto no debe condenarse a sí mismo. Romanos 8:1 dice: *Ahora pues, ninguna condenación hay para los que están en Cristo Jesús.* Algunos siguen condenándose a sí mismos por no creer que Cristo llevó el castigo que nosotros merecemos. Cuando Jesús murió en la cruz, él pagó el precio de todos nuestros pecados, sin excepciones.

Cuarto, usted no tiene derecho a recordar lo que Dios ya ha olvidado. Muchos cristianos viven como intentando conducir un automóvil mirando por el retrovisor. Se fijan en dónde han estado y avanzan a paso de tortuga en lugar de a la velocidad que Dios quiere. Dejan que el pasado eche su sombra sobre el presente.

Recuerde Isaías 43:18, 19: *No os acordéis de las cosas pasadas; ni consideréis las cosas antiguas. He aquí que yo hago una cosa nueva; pronto surgirá. ¿No la conoceréis? Otra vez os haré un camino en el desierto, y ríos en el sequedal.* ¡Qué promesa!

Pablo también escribió: *Olvidando lo que queda atrás y extendiéndome a lo que está por delante, prosigo a la meta hacia el premio del supremo llamamiento de Dios en Cristo Jesús* (Fil. 3:13b, 14).

Pablo no estaba mirando por su retrovisor, aunque había participado en el asesinato de Esteban. Estaba mirando hacia adelante, a la persona de Cristo. Haga lo mismo usted, y luego ayude a su gente a hacer lo mismo.

> *Olvidando lo que queda atrás y extendiéndome a lo que está por delante, prosigo a la meta hacia el premio del supremo llamamiento de Dios en Cristo Jesús.*
>
> **Filipenses 3:13b, 14**

Aplicación personal

Si usted desea ser un líder libre del pasado...
1. Traiga su vida delante del Señor y pídale que la limpie de las malas influencias.
2. Pídale a Dios que lo sane de los malos recuerdos.
3. Perdone a sus padres por los errores que cometieron al criarlo; no alimente resentimientos.
4. Esfuércese por vivir de conformidad a sus convicciones cristianas y desatienda las influencias negativas del grupo.
5. Pida perdón a Dios por sus errores del pasado y no los recuerde más.
6. Hable cada día con Dios; profundice la intimidad con él. Verá cómo él lo acepta como es.

Invitación

Libérese de su vida pasada, de aquello que le atormenta y estorba. Fíjese en la meta que el Señor tiene para su vida y mire siempre hacia adelante. Decídase a ser un líder poderoso sin lastres del pasado.

Oración

Señor, te suplico que me ayudes a perdonar a todos aquellos que influyeron negativamente en la formación de mi carácter, y a agradecer el bien que sí me hicieron. Aparta de mi mente aquellas experiencias que me atormentan y estorban mi vida y mi ministerio. Señor, ayúdame para que el fruto del Espíritu sea mi carácter.

Capítulo 9

El liderazgo y sus valores

Paradigma — Es una creencia -

Si deseamos tener un liderazgo peligroso y de influencia, debemos mantener muy en alto algunos valores dignos de toda consideración.

Creatividad

Necesitamos tener un compromiso para expresar la verdad de Dios y su Palabra de distintas maneras. Dios es creativo, y estamos hechos a su imagen, por lo que en nosotros debe existir la misma acción creativa cuando estamos liderando al pueblo de Dios. Necesitamos alimentarnos a nosotros mismos de maneras creativas. Como líderes debemos realizar una variedad de actividades tales como ir a conciertos, tomar un descanso, hacer otra cosa completamente distinta a lo que estamos haciendo, tener tiempo de recreación, quizá una actividad deportiva nueva. Dice la Escritura: *En tu presencia hay plenitud de gozo, delicias en tu diestra para siempre* (Sal. 16:11). Necesitamos tratar, con la gracia del Señor, de sorprender a los nuestros y a los que nos visitan con una buena dosis de creatividad, ayudarlos a tener una actitud de expectación. Debemos preguntarnos cada día, o en cada actividad que desarrollemos: ¿cómo vamos a experimentar la gracia de Dios hoy?

Misión intencional

Debemos tener un propósito para cada actividad que hagamos en nuestro ministerio. ¿Qué queremos lograr en cada actividad, sea culto, reunión u otra actividad? Quien no planea, en una actividad ministerial, está planeando fracasar. ¿Cuál es la meta? Tenemos que estar bien centrados (enfocados) en la Biblia: sus verdades y enseñanzas. Tenemos que estar bien centrados en la enseñanza y formación de la vida de los que están a nuestro alcance. Evaluemos constantemente las actividades que realizamos como iglesia y pensemos sinceramente si estamos persiguiendo un propósito definido, o si estamos siendo perseguidos por una tradición obsoleta.

Excelencia

Una definición de excelencia para el ministerio es hacer lo mejor con lo que tenemos. Hay que empezar con nosotros mismos, ofreciendo a nuestro Señor lo mejor de lo que somos y de lo que tenemos. Siempre hay que notar la diferencia entre la excelencia y el perfeccionismo. La excelencia es darle a Dios lo mejor de nosotros mismos. En cambio el perfeccionismo es una obsesión enfermiza que no honra al Señor. Es esencial darnos cuenta de que cuando fallamos es muy importante intentar de nuevo. Habiendo fracasado, si no somos restaurados espiritualmente, es decir, que no hayamos pedido ni buscado apoyo de otros, seguramente volveremos a hacer las mismas cosas una y otra vez.

La evaluación

Es preciso que sepamos distinguir entre lo que sirve y lo que no sirve, no solamente respecto a nuestras funciones y responsabilidades, sino también a nuestra capacidad como líderes. Hay que celebrar lo que funciona bien, y platicar de lo que no funcionó bien. Hay que hacerlo con un espíritu de amor, procurando no estar a la defensiva. Pablo mismo dijo: *Sino que, siguiendo la verdad con amor...* (Ef. 4:15). En nuestra iglesia (PIB Satélite), desde hace años tenemos una hoja que repartimos a todos los congregantes de la iglesia con la que pedimos evalúen todo lo que está sucediendo. Esto ha sido motivo de gran bendición, ya que este recurso se ha convertido en una fuente extraordinaria de ideas que han sido de gran bendición para el crecimiento de nuestra iglesia.

El proceso

A veces vemos que hay una falla en el proceso que estamos utilizando. Es importante poner atención a los detalles y tener a la gente adecuada en cada posición para poder tener éxito. Parte del proceso es tener horarios (reuniones, capacitación) accesibles a la gente involucrada. Otra parte es la importancia de evaluar continuamente la estructura del liderazgo: que sea adecuada a las necesidades cambiantes de un ministerio que va creciendo. Hay que reconocer que todo lo que se hace es ministerio y no un negocio. Lamentablemente en muchos casos no estamos preocupados por el proceso de las actividades que realizamos y, de manera muy especial, por el proceso de la gente misma. Pensemos por un momento en la celebración de esta conferencia donde están involucradas unas 200 personas o más. La pregunta sería: Después de la conferencia, y de haber servido a otros, ¿soy mejor? En ocasiones los cultos y las actividades de la iglesia *parecen* salir bien, pero queda como resultado un montón de vidas dañadas por no habernos preocupado del proceso.

La autenticidad

Los que están "al frente" del ministerio tienen que ser genuinos; no pueden ser falsos en ningún sentido. Necesitamos abrir nuestras vidas y compartirlas y no crear una imagen de nosotros que no sea la verdad. Mostrar una imagen que no sea real o genuina es producto del orgullo. Necesitamos crear un ambiente que permita que la gente sea totalmente honesta en sus tratos con los demás. También necesitamos crear y compartir nuestro ministerio, para que sea una expresión auténtica de lo que somos espiritual, emocional y culturalmente.

La comunidad

Es importante una reunión semanal con los líderes del ministerio para crear una comunidad de amor entre ellos, con el propósito de que haya un interés genuino en cada uno por los otros del grupo. Preguntas tales como: ¿Cómo te fue con tal cita?, ¿cómo sigue tu salud, tu hija, etc.? Un verdadero sentir de comunidad entre el liderazgo es una de las maneras que tenemos para combatir lo pesado de estar en el ministerio. Tener este sentido de comunidad, de cuidado y pastoreo mutuo y de un amor genuino entre nosotros como líderes, nos ayuda a enfrentar los momentos de conflicto, de tensión, etc. Necesitamos conectarnos unos con otros en una manera vital y constante para crear este sentido de comunidad. La comunidad también nos ayuda a crecer y a equilibrarnos en nuestra forma de ser y de hacer las cosas. La participación de todo el equipo, conforme cada uno va aportando sus dones, perspectivas y experiencias, crea un contexto donde todos pueden dar y recibir de los demás. Funcionando así, como equipo o cuerpo, cada miembro puede y debe aprender de los demás, compartir de sus puntos fuertes para fortalecer a los demás, y ser fortalecido por los demás en los puntos débiles. Colaborar juntos es la manera más fructífera para identificar (y corregir) los motivos, las metas, los pasos intermedios y el proceso indicado para hacer las cosas. Así se mejora la habilidad de cada uno para hablar y tratar a la gente, para evitar problemas y conflictos innecesarios, y para estimularnos los unos a los otros para hacer el mejor esfuerzo posible en todos los sentidos de la palabra.

El liderazgo

El don de liderazgo es necesario para el ministerio, aunque muchas veces no es muy bien aceptado. Debemos ejercerlo con confianza y sin temor de lidiar con asuntos delicados cuando Dios nos está guiando, sobre todo en las áreas de ideas nuevas, de problemas personales y de asuntos de carácter. Debemos ser sensibles a las necesidades de los demás si vamos a tener éxito como líderes. Cuando se ejerce el liderazgo en una forma sana y debida, los resultados se notan en seguida: la gente se ve motivada, sana y bíblicamente (al estilo de siervo) se genera la visión que se desarrolla en la gente para ministrar y glorificar a

Dios, y la habilidad de unir a la gente para utilizar sus diversos dones, talentos y personalidades. En la unión se alcanzan resultados y se realizan propósitos por medio de un esfuerzo coordinado, que van mucho más allá de lo que haría una sola persona... con la bendición de que todos podrán compartir el gozo.

Vidas y corazones bien ordenados

Lo mejor que podemos traer al ministerio es la unión con Cristo. Para ministrar con bendición hay que mantener en orden lo más profundo de nuestra alma. Es importante que manejemos con sabiduría nuestra vida para permanecer en "la carrera" del ministerio. Muchas veces tenemos la tendencia de sobrecargarnos en el ministerio y, por consecuencia, no nos alcanza el tiempo para estar a solas, o estar con la familia o con los amigos. Solemos culpar a la iglesia en vez de tomar la responsabilidad de nuestras propias acciones. Es fácil que nuestros corazones se vuelvan duros o impacientes, lo cual no honra a nuestro Señor. Somos llamados a ser como Cristo, aun cuando nadie nos esté viendo y estemos cansados. Hay que pedir que Cristo nos dé corazones sensibles como el suyo. No podemos dejar que el ministerio destruya nuestra vida cristiana y privada. Veamos el ejemplo de Jesús cuando creció su fama después de sanar a un leproso:

Aconteció que, estando Jesús en una de las ciudades, he aquí había un hombre lleno de lepra. Él vio a Jesús, y postrándose sobre su rostro, le rogó diciendo:

—Señor, si quieres, puedes limpiarme.

Entonces extendió la mano y le tocó diciendo:

—Quiero. ¡Sé limpio!

Al instante la lepra desapareció de él. Y Jesús le mandó que no se lo dijera a nadie; más bien, le dijo:

—Vé y muéstrate al sacerdote y da por tu purificación la ofrenda que mandó Moisés, para testimonio a ellos.

Sin embargo, su fama se extendía cada vez más, y se juntaban a él muchas multitudes para oírle y para ser sanadas de sus enfermedades. Pero él se apartaba a los lugares desiertos y oraba. (Luc. 5:12-16).

Aplicación personal

Si usted desea ser un líder con valores...
1. Planee intencionalmente cada actividad personal y de la iglesia.
2. Evalúe periódicamente las actividades y organizaciones de la iglesia de acuerdo con el propósito de las mismas.
3. Propóngase retroalimentar su liderazgo con las opiniones e ideas de los demás.
4. Proyecte a los demás la imagen real suya.

Invitación

Usted puede ser un líder verdaderamente creativo y eficaz en la formación de vidas. Busque la excelencia, dándole al Señor lo mejor de usted mismo.

Oración

Señor, quiero ofrecerte lo mejor de mí. Ayúdame a ser completamente genuino delante de ti y de la comunidad, y a abrirme y a compartir con sinceridad lo que soy.

Capítulo 10

Liderazgo que persevera

¿Cuánto tiempo lleva usted en el servicio cristiano o en la vida cristiana?

El poder de persistir > insistir

Hay una advertencia popular que dice: Cuanto más rápido vaya uno, más espectacular puede ser la caída. Pero piense: ¿Qué tan rápido y duro puede trabajar usted? Si lo hace bien, con la ayuda de Dios, usted puede perdurar. Dios nos ha llamado a ser capaces de larga duración. Tenemos que aprender cómo lograrlo. Comencemos a primer nivel.

Asegúrese del llamado de Dios en su vida

Su ministerio, el llamado que le dio Dios, no el que usted creía o el que otro le dio. Es el que corresponde a la fe que Dios le ha dado. No es usted responsable de todo lo que pasa en el mundo, sino sólo de **su ministerio**. Yo encuentro que saber decir "no" es una de

> *Pero tú, sé sobrio en todo; soporta las aflicciones; haz obra de evangelista; cumple tu ministerio.*
>
> **2 Timoteo 4:5**

las cosas más importantes del ministerio. Con cierta frecuencia tengo que responder: "No es mi tarea, no es mi llamado. Dios me ha llamado a ser pastor". Cuando invertimos energía en otra cosa, no nos queda fuerza para el ministerio. Debemos estar bien enfocados. ¿Estoy en el lugar correcto? Esto tiene que ver con los dones espirituales, por lo que debe recordar que Dios le dará todo el poder para perseverar. 2 Crónicas 16:9 nos afirma: *Porque los ojos de Jehovah recorren toda la tierra para fortalecer a los que tienen un corazón íntegro para con él.* Por eso es muy importante acordarse de las características esenciales de un llamado de Dios: Ser creyente fiel de Jesucristo, conocer acerca de los dones espirituales que de él ha recibido, saber que el ministerio que desarrolla tiene que ver con los dones que de Dios ha recibido.

Desarrolle el valor que necesita para cambiar

No quiero decir que ya lo haya alcanzado, ni que haya llegado a la perfección; sino que prosigo a ver si alcanzo aquello para lo cual también fui alcanzado por Cristo Jesús (Fil. 3:12).

Cambie lo que puede cambiar y que le ayudará a perseverar en su ministerio. Haga una lista de las cosas que debe hacer y también de las que debe dejar de hacer. Si no cambiamos, es porque no tenemos el valor. Tenemos temor. Piense: Si volviera a comenzar, ¿qué cosas cambiaría? Como todos, usted es susceptible a las críticas de los demás. Tener un tiempo para descansar, y tener un tiempo prolongado con Dios no se trata de tomar vacaciones (como pensarían los que critican), sino de un tiempo para renovación. Decídase entonces a tener alguna actividad recreadora necesaria, como un deporte o una actividad para renovarse en el Señor. Dios nos ha dado gozo y reposo en su presencia, así que el Salmo 16:11 nos declara: *En tu presencia hay plenitud de gozo, delicias en tu diestra para siempre.* Jeremías en su capítulo 18 nos dice que Dios es como el alfarero universal, y nosotros como barro en sus manos. Hay quienes no pueden ser usados como barro por Dios por su resistencia al cambio. Usted no podrá ser usado por Dios, si su barro es pequeño, o si es duro, o si tiene algunas piedras.

Descubra a las personas seguras para compartir las responsabilidades

¿Cómo descubrir tales personas? Tome en consideración dos cosas:

1. **En quienes no confiar:**
   * (1) En las que confían demasiado en sí mismas.
   * (2) En las que no son sensibles.
   * (3) En las que no tocan físicamente (abrazos sinceros, palmadas estimulantes).
   * (4) En las que no necesitan del compañerismo.
   * (5) En las que usan a las personas y aman las cosas.

2. **Cómo empezar:**
   * (1) Siga la regla de oro y sea un amigo verdadero.
   * (2) Obedezca los mandamientos de Dios acerca de las relaciones humanas.
   * (3) Fije los momentos óptimos para asimilar enseñanza en su vida.
   * (4) Reconozca que necesita de otros.
   * (5) Acepte y aprecie las diferencias de otros.
   * (6) Dedíquese a la gente.
   * (7) Participe en grupos pequeños.

> *Hermanos, en caso de que alguien se encuentre enredado en alguna transgresión, vosotros que sois espirituales, restaurad al tal con espíritu de mansedumbre, considerándote a ti mismo, no sea que tú también seas tentado. Sobrellevad los unos las cargas de los otros y de esta manera cumpliréis la ley de Cristo.*
>
> **Gálatas 6:1, 2**

Muchos no saben cómo trabajar con las personas seguras. En Mateo 26:38 el Señor dijo: *Mi alma está muy triste, hasta la muerte. Quedaos aquí y velad conmigo.* Los compañeros en el ministerio son vitales. Muchas veces el ministro equivoca las personas con las que se puede relacionar con profundidad. Deben ser personas confiables. Con ellas podemos compartir cosas delicadas y personales.

Aprenda a vivir con una perspectiva divina

Cuando en un vuelo a la Ciudad de Monterrey miré desde el avión la presa Madín, parecía un charco, pero días antes los periódicos informaron que dos niños se habían ahogado allí. En realidad es una presa peligrosa para practicar los deportes acuáticos. Mi perspectiva desde el avión no me permitía apreciar esa realidad. Así es con nuestra perspectiva humana. Necesitamos ver como Dios. Ver la vida desde la perspectiva de la eternidad. Mirar el presente desde la perspectiva eterna. Pablo, en 1 Corintios 15:58 nos exhorta así: *Así que, hermanos míos amados, estad firmes y constantes, abundando siempre en la obra del Señor, sabiendo que vuestro arduo trabajo en el Señor no es en vano.* Así pues, persevere; no importa lo que pase, ni los vientos que corran. Decida que va a ser firme y constante. No estamos lejos del puerto, de casa, y cuando lleguemos allí estaremos gozosos y podremos decir: "¡Qué bueno que no me detuve!". ¡Qué alegría será ver allí a Cristo quien no se detuvo cuando lo escupieron, cuando lo clavaron, cuando lo mancillaron, cuando lo coronaron con espinas! Entonces diremos a una sola voz: "Señor, gracias por tu perseverancia, que fue la inspiración para que yo no me detuviera".

> *Por tanto, no desmayamos; más bien, aunque se va desgastando nuestro hombre exterior, el interior, sin embargo, se va renovando de día en día. Porque nuestra momentánea y leve tribulación produce para nosotros un eterno peso de gloria más que incomparable...*
>
> **2 Corintios 4:16, 17**

Manténgase seguro de lo siguiente

Cuando Dios lo llama a uno, Dios provee. No nos llama para ser famosos, sino para servir a Cristo. Dios puede usar también a otras personas para participar en la obra. No debemos darnos por vencidos.

El tiempo que Dios decide, siempre es el perfecto.

Jamás le podrá dar a Dios demasiado. No puede dar más que Dios. Todo lo que él nos da está medido por su misericordia y ésta es inmensa, como los cielos.

El plan de Dios es único.

Para meditar

En Juan 21:22 Jesús dijo:

Si yo quiero que él quede hasta que yo venga,
¿qué tiene esto que ver contigo?
Tú, sígueme....

Habacuc 2:3 también habla del tema:

¡Dios está en control de todo! Siempre habrá personas que son mejores que nosotros, iglesias mejores que la nuestra, ministerios más fructíferos que el nuestro; por lo que debemos desechar nuestra propia perspectiva y aprender a vivir en la gracia y en la perspectiva de Dios hasta la muerte.

Aunque por un tiempo la visión tarde en cumplirse, al fin ella hablará y no defraudará. Aunque tarde, espéralo; pues sin duda vendrá y no tardará...

Aplicación personal

Si usted quiere ser un líder perseverante, entonces...
1. Trabaje con el tiempo de Dios.
2. Asegúrese cuál es el ministerio que le dio el Señor y cúmplalo.
3. Descubra cuáles son los dones espirituales que el Señor le ha dado para su ministerio, y úselos.
4. Diversifique el uso de su tiempo, incluyendo actividades ministeriales, recreativas y de renovación.
5. Busque a las personas adecuadas para ayudarlo en el ministerio y en su vida.

Invitación

Haga del suyo un ministerio perseverante, buscando la perspectiva divina del tiempo, de las personas que lo rodean y de las circunstancias que enfrenta en el trabajo.

Oración

Señor, ayúdame a aprender de la manera en que Jesús persistió con su mirada puesta en ti, a pesar de los sufrimientos de su ministerio, para que yo sepa perseverar y que el ministerio que tú me has dado persista.

Capítulo 11
La auditoría del líder

Es muy fácil medir el avance de nuestro ministerio y liderazgo en cosas concretas tales como: lectura de la Palabra de Dios, oración, relaciones, pero ¿cuándo verdaderamente me dedico a pensar en el tipo de persona que estoy llegando a ser? De allí la necesidad de que, como líderes de la iglesia de Cristo, tengamos una correcta perspectiva de lo que somos, así como de lo que hacemos. Eso sin lugar a dudas nos ayudará a tener una vida más estable y fructífera.

Las siguientes preguntas le ayudarán a orientarse en cuanto a su desarrollo espiritual.

¿Estoy contento con la persona en que me estoy convirtiendo?

Cada día estoy más cerca de ser la persona que finalmente seré. ¿Estoy satisfecho con la persona en que me estoy convirtiendo? Debemos estar seguros de que nuestra profesión no consuma nuestra persona. Es muy importante que *seamos* más de lo que *hagamos* o *tengamos*. Muy frecuentemente he visto siervos de Dios que después de dejar el ministerio y cambiar de iglesia no tienen nada con qué llenar ese vacío. También, a medida que vamos envejeciendo, debemos mudar de poder a sabiduría. Aquellos que quieren conservar el poder demasiado tiempo son dañados y dañan a los demás. A veces los padres que tratan de conservar el poder sobre los hijos pierden el amor de los mismos. Sin embargo, cuando somos capaces de renunciar al poder en el tiempo adecuado, y nos convertimos en una figura de sabiduría, seguimos siendo útiles, honrados, respetados, y seguimos dentro de la corriente. Por supuesto, cuando tenemos el poder, nosotros tenemos la ofensiva; cuando estamos en la posición de sabiduría somos los consultores; aquellos que nos necesitan vienen a nosotros, nosotros no vamos a ellos. Así que me pregunto: ¿Estoy alejándome del poder y convirtiéndome en una persona de sabiduría?

¿Me estoy haciendo menos religioso y más espiritual?

Los fariseos eran religiosos; Cristo es espiritual. Mucha de la tradición es religiosidad, mientras que una relación con Cristo es espiritual. La diferencia entre religión y espiritualidad es básicamente un asunto de control. Yo defino religión como una experiencia que yo puedo controlar, mientras que espiritualidad es una experiencia que me controla. Confieso que después de muchos años de estar involucrado en la religión organizada, muchas veces siento lo hueco de la experiencia, lo estricto de las reglas, y busco como un alma hambrienta algo verdaderamente espiritual en mi relación con Cristo. Es relativamente fácil caer en el engaño de que estamos creciendo en nuestro andar con Dios simplemente porque estamos metidos en toda clase de actividades religiosas. Al observar su agenda detenidamente y con total sinceridad, responda: ¿Estoy tan ocupado en la obra de Dios, que me he distanciado del Dios de la obra?

¿Reconoce mi familia lo auténtico de mi espiritualidad?

Esta sí es una pregunta de alto calibre. Es muy fácil engañar a las personas que nos rodean durante la semana, tanto en la oficina como en el ministerio. Comparado con el tiempo que pasamos con ellos, el tiempo que pasamos con la familia es mucho más intenso. Por eso la pregunta apunta a la familia, y no a los que me rodean. La familia me ve como soy. Me gustaría creer, y debo creer, que si estoy creciendo espiritualmente, mi familia lo va a reconocer.

El ya fallecido Ray Stedman contó de una reunión de pastores y líderes cristianos en la que uno de los más connotados
dijo: "Hermanos, estoy cansado de la religión de celebrida-
des. He tenido mi dotación de honores, pero cuando muera,
a menos que mi familia pueda decir: 'Había algo de Dios en
ese hombre', considero que habré fallado". Entonces vino un
silencio santo de autoevaluación de cada uno de los presen-
tes. Debemos tener la oportunidad y sobre todo las agallas de
preguntarles a los nuestros si de verdad están viendo que estamos creciendo en carácter y semejanza a Cristo. Ellos son
los principales sinodales de nuestra vida y ministerio.

¿Tengo una filosofía de flujo?

Juan 7:38 dice: *El que cree en mí, como dice la Escritura, ríos de
agua viva correrán de su interior.* La frescura está en el flujo. La
corriente que baja de la montaña es fresca. Algunos de nosotros
queremos ser un lago y no un río. Queremos acumular en lugar
de dejar que fluya algo de nosotros. Sin embargo, como líder de
Dios, debo dejar que las bendiciones fluyan a través de mí.
Ciertamente, esto implica mucho más que dinero por sí mismo.
Cuando Cristo alabó a la viuda que dio su ofrenda, ¿no estaba
él más bien exaltando su sacrificio y no la ofrenda misma?
¿Podría ser entonces que Dios aprecia sólo lo que se da como
un verdadero sacrificio? ¿No dijo David: *No ofreceré a Jehovah mi
Dios holocaustos que no me cuesten nada* (2 Sam. 24:24). Si yo he
sido bendecido con la habilidad de ser líder, esa bendición debe
fluir. Oswald Chambers nos advierte que cuando detenemos
las bendiciones en nuestra vida, nos estancamos, nos hacemos
cínicos y mal intencionados espiritualmente. Los asistentes a
congresos, conferencias y talleres que no los comparten con sus
iglesias son culpables de que exista tanta inanición en el pueblo
de Dios. Los líderes peligrosos en realidad comparten todo lo
que reciben de Dios. Debemos romper la represa y dejar que las
bendiciones fluyan como un río. ¿Realmente tengo una forma
de vida que deja que las cosas fluyan?

¿Tengo un centro apacible en mi vida?

Uno de los más connotados siervos de Dios, llamado

Francois Fenelon, que caminó con Dios hace trescientos años, dijo: "Paz es lo que Dios quiere para ti, sin importar lo que esté pasando". Yo me repito este punto a mí mismo porque es importante para mi vida. Fue Oswald Chambers el que dijo: "En la vida de nuestro Señor no había nada de la presión y de las prisas que nosotros tanto admiramos, y el discípulo tiene que ser como su maestro". Hay una diferencia importante entre la vía rápida y la vía frenética. No es el propósito de Dios que yo sea frenético. Las carreras y preocupaciones son epidémicas en nuestros días. Si no estamos totalmente saturados sentimos como si no fuéramos normales. El otro día escuché a un ministro muy prominente decir que la semana siguiente tenía una junta de desayuno cada día de la semana. Yo quería decirle a él: "Esta no es la manera en que se debe vivir. Esta no es la manera de tener una familia. Esto, para mí, no es la forma de ser un varón de Dios". Muy frecuentemente debemos escuchar la orden bíblica que dice: *Estad quietos y reconoced que yo soy Dios* (Sal. 46:10a). Jesús no tenía una agenda diaria, él sólo se ocupaba en hacer el bien (comp. Hech. 10:38). Cuando estaba de camino para resucitar a una niña muerta se detuvo para sanar a una mujer que padecía flujo de sangre. Él no le dio más alta prioridad a resucitar a una persona muerta que a sanar a un enfermo. Simplemente se ocupaba de hacer el bien a todo el que aparecía en su camino. Jesús tenía un centro apacible en su vida. ¿Lo tengo yo también? ¿Lo tiene usted? La paz es evidencia de la presencia de Dios.

¿He definido mi ministerio único y personal?

Esta parece ser una de las preguntas más obvias de esta auditoría. Si usted tomó este libro del estante de su librería, es porque es líder o porque le han asignado esta responsabilidad y se espera que conozca a ciencia cierta si está en el lugar correcto. Sin embargo, y por raro que parezca, debemos hacernos esta pregunta con toda sinceridad: ¿Sé lo que puedo hacer de manera eficaz? La necesidad siempre es algo más grande que lo que cualquier persona puede satisfacer; y por lo tanto, mi llamado es simplemente hacerme cargo de la parte de la necesidad que me corresponde. Cuando llegué a la congregación que ahora pastoreo por la gracia de Dios, me dediqué a tratar de satisfacer necesidades, y lo cierto es que poco podía hacer al respecto. Cada vez había más trabajo y más cansancio y muy pocos resultados. Era yo pastor, pero estaba haciendo el trabajo de todos. Por lo menos eso creía, y lo peor, estaba convencido de que Dios estaba feliz por mi entusiasta participación. Afortunadamente, fui capaz de definir mi ministerio único y personal antes de que cayera desmayado, de modo que no he tenido que hacer un cambio a mitad de la vida. Definir mi ministerio único y personal es muy importante porque siempre va a haber muchas solicitudes para hacer cosas que requieren tiempo y esfuerzo. Si no sabemos qué cosas son las que podemos hacer especialmente bien, terminamos haciendo muchas cosas de manera mediocre para complacer a los demás. Definición y disciplina son esenciales.

¿Estoy mejorando mi vida de oración?

Oswald Chambers en su libro titulado, *Oración y santa ocupación*, define lo que es en esencia la oración: "Es encontrar la mente de Cristo". Yo no sé cuándo seré completamente un hombre de oración, pero puedo sentir si he hecho algún progreso. Progreso, no perfección, es todo lo que puedo aspirar en mi crecimiento espiritual. Una prueba de mi vida espiritual es esta: ¿Tienen mis decisiones como parte integral la oración, o tomo decisiones solamente basadas en mis deseos y después las baño en una salsa santa llamada oración?

¿Mantengo una genuina admiración y asombro por Dios?

La admiración y el asombro inspiran, sobrecogen, intimidan mi humanidad, inspiran adoración. El asombro no se aprende; solamente se hace consciente. Cuando servimos a Dios podemos perder de vista fácilmente su actividad en medio de nosotros. En la época en que nos toca vivir podemos enlazarnos a través de las telecomunicaciones en el mismo momento en que están sucediendo las cosas al otro lado del mundo. También podemos volar a través de los cielos acortando distancias, y al mismo tiempo estar usando el teléfono del avión para comunicarnos a casa a miles de kilómetros de distancia. En estas condiciones es relativamente fácil que perdamos nuestra capacidad de sorpresa, y eso no es, a mi juicio, señal de madurez, sino falta de observación y contemplación. Todavía debemos guardar la santa expectación de ver a Dios obrando en medio de nosotros. Todo lo que él hace es realmente maravilloso; no sólo lo que vemos en la creación, sino en el ministerio mismo. Cuando Dios me permite predicar en un evento evangelístico y veo a centenares de personas recibiendo a Cristo, pienso en mis amados consiervos que hace 100 o 200 años veían esto como una total imposibilidad en México. Yo no dejo de impresionarme por la obra de Dios en medio nuestro. América Latina está viendo el poder de Dios en cosas que nuestros antepasados hubieran anhelado mirar. ¿Está creciendo ese poder dentro de mí?

¿Es genuina mi humildad?

Considero que no hay nada tan arrogante como la humildad falsa. Fenelon decía: "Recibe los buenos comentarios de una persona digna como un consuelo de Dios". Hay dos definiciones de humildad que es apropiado considerar: "Humildad es aceptar tu fortaleza con gratitud". La otra es: "Humildad no es negar el poder que tienes, sino admitir que ese poder no proviene de ti, sino que fluye a través de ti". Pablo escribió: ...*olvidando ciertamente lo que queda atrás...* (Fil. 3:13b). Con eso quería decir: "Descarto mis propias hazañas como también las ofensas que otros me han hecho. Me niego a extenderme en este asunto". Para decir eso se necesita humildad. Aquí vale la pena detenernos para pensar en el pasado de Pablo. En 2 Corintios 11:24-27 el Apóstol hace una lista exhaustiva de todos los problemas que llegó a vivir. ¿A cuántas personas Pablo hubiera podido incluir en una lista de odio? Evidentemente él no tenía esa lista. Con humildad olvidó lo que quedaba atrás. José pudiera levantarse de entre los hombres del Antiguo Testamento como uno que aprendió a ser humilde. También a él le fue terriblemente mal: Rechazado y odiado por sus hermanos, fue vendido a unos viajeros en caravana a Egipto, sus primeros dueños lo volvieron a vender como esclavo común en el mercado. Después fue acusado falsamente por la esposa de Potifar, por lo que fue a parar a un calabozo donde quedó olvidado. Su padre lo consideró muerto. Después fue promovido hasta quedar como el segundo del faraón. Consideremos: Si alguien tuvo razones para recordar sus sufrimientos y despreciar su pasado, ese fue José. Sin embargo, lo asombroso de la historia es que él se negó a recordar las ofensas y aceptó todo con genuina humildad. ¿Recuerda el nombre del primer hijo de José? Fue Manasés, que significa "olvido". José dijo: *Dios me ha hecho olvidar todo mi sufrimiento y toda la casa de mi padre* (Gén. 41:51). Para actuar así se requiere humildad. Pero no debemos orar para pedir humildad, porque esa oración tendría que ser contestada con tribulación. Somos enseñados a humillarnos. ¿Estoy aprendiendo?

¿Es mi "alimento espiritual" la dieta correcta para mí?

He dejado de llamar a mi lectura espiritual un "tiempo devocional", para más bien llamarlo "tiempo de comida", porque es en ese tiempo cuando se nutre el alma. Me tomó muchos años para finalmente llegar a lo que considero un menú saludable y adecuado a mis necesidades. No todos podemos usar los mismos anteojos, ni tampoco podemos tomar la misma medicina. De la mima manera, todos tenemos diferente personalidad y carácter que necesita ser desarrollado o ser devastado. Esto significa que debemos encontrar el alimento espiritual que es correcto para cada quien. Doy gracias a Dios porque existen tantos recursos bíblicos a nuestro alcance para hacer de nuestro tiempo con Dios algo verdaderamente maravilloso. Estos recursos van desde las diferentes versiones de la Escritura en español, hasta comentarios, y bosquejos bíblicos de grandes predicadores del pasado. Además tenemos una variedad de alabanzas que nos ayudan a centrarnos en Dios. Aquí debemos preguntarnos si hemos descubierto lo que es realmente nutritivo para nosotros.

¿Está la obediencia a las pequeñas cosas integrada en mis reflejos?

¿Trato de negociar con Dios y razonar con él? La obediencia en gran manera determina mi relación con Cristo después del nuevo nacimiento. Él dice que soy su amigo si lo obedezco. Por lo tanto debo examinar mi obediencia. Mis buenas intenciones cuentan muy poco. Puedo obedecer a Dios por temor o por amor. Tanto él como yo preferimos que sea por amor. Al mismo tiempo, ¿cómo manejo la desobediencia? ¿Doy excusas o hago confesiones? ¿Tontamente trato de cargar con la culpa o de autocastigarme por lo que sólo Dios puede perdonar y perdonará?

¿Tengo gozo?

El gozo es una promesa. ¿Lo tengo? Si mi relación con Cristo está bien, lo tengo. Para mí, el gozo se perfecciona en la plena certeza de la total soberanía de Dios. La duda diluye el gozo. Una de las cosas que más alejan el gozo de la vida del líder tiene que ver con el temor, y con tratar de ganar el amor de Dios a través del cumplimiento de nuestro ministerio. Pensamos que Dios piensa como nosotros, pero en realidad no es así: su amor es inalterable, él sigue amándonos y no está buscando que le paguemos de alguna forma lo que él ha hecho con tanto amor por nosotros. Dios no necesita de mí; más bien, yo necesito de él. Ahora estoy completamente seguro de que Dios no me necesita, sin embargo, me ama, y no necesito trabajar para él para ganar su amor. Trabajo para él como resultado de su amor. Él me permite trabajar para él para madurarme. Esto produce gozo. ¿Se extiende el gozo hacia mi sufrimiento? El sufrimiento es mi maduración. Aun los periodos de sequía producen perseverancia, que es agradable a Dios. De modo que puedo estar gozoso en la adecuación de Dios.

Aplicación personal

Si usted desea ser un líder que crece en madurez espiritual, entonces...

1. Examínese a sí mismo para ver si está creciendo en sabiduría.
2. Esfuércese por ser menos religioso y más espiritual.
3. Comparta las bendiciones de todo tipo que ha recibido.
4. Esté quieto y reconozca que él es Dios.
5. Reconozca en sus tribulaciones la mano de Dios que lo dirige a la humildad.
6. Lea más para nutrir su alma.

Invitación

Sea un ministro y siervo del Señor que crece siempre hacia la estatura del varón perfecto. Emprenda el trabajo como una manifestación del amor de Dios y un medio que él usa para dirigirlo a la madurez.

Oración

Amado Señor, te agradezco que Cristo murió para que yo sea salvo y santo. Te agradezco porque todo lo que haces por mí es para que yo crezca en espiritualidad y en un ministerio fructífero.

Capítulo 12

Liderazgo de amor y buenas obras

En el año 1994, en México tuvimos una de las noticias más estremecedoras que movieron al país a la inseguridad y a la indignación: el asesinato del candidato a la presidencia de la república, Luis Donaldo Colosio Murrieta. Fue una noticia que plagó los diarios y revistas del país a lo largo y ancho. Hubo una publicación que en lo personal me llamó poderosamente la atención. En la portada aparecía el cuerpo herido de Luis Donaldo con las siguientes líneas: NADIE LE CUIDÓ LA ESPALDA.

"¿Dónde está tu hermano?". Esta pregunta puede ser una de las más comunes de las que hemos escuchado. Cuando éramos niños y solíamos jugar con nuestros hermanos en la calle, nuestra madre nos preguntaba: *¿Dónde está tu hermano?* Esta puede sonarnos tan familiar, que ni reparamos en la trascendencia que puede tener para nuestro propio provecho espiritual, sobre todo cuando esa pregunta nos es hecha directamente por el Dios Todopoderoso. Esta pregunta, en el contexto escriturario, dejó helada la vida de Caín, ya que con ella Dios hizo ver al despreocupado Caín lo que había hecho. ¿Acaso no sabía el Omnisciente dónde estaba Abel? Lo sabía, pero con esta pregunta, Dios desenmascaró al asesino, lo convenció de su brutal crimen, y lo condenó.

Es posible que nosotros no hayamos matado a nadie, pero ¿a cuántos estamos dejando morir? ¿Cuántos aquí mismo se están dejando morir ahora?

En mi acción pastoral me he encontrado con muchos creyentes que por mil diversas razones han perdido su fe vital y consideran que las iglesias están llenas de hipócritas, de pecadores y de gente mala. ¿Y saben qué es lo más curioso? ¡Que es verdad! ¡Pero qué concepto tan raquítico tienen otros acerca de la iglesia de Cristo, cuando piensan que está llena de gente buena, sin problemas, de ángeles encarnados, o de una especie de *supercristianos!* ¡Nada más lejos de la verdad! La iglesia es el cuerpo de creyentes en Cristo: pecadores, pero salvos por la gracia de Dios, y en proceso de santificación. Pero tristemente, para muchos esto ha sido piedra de tropiezo y razón suficiente para abandonar las filas de Dios.

Me he encontrado con personas que "sabiamente" llegaron a la conclusión de que "la iglesia no es para mí; Dios está en todas partes". Muchos se conforman con participar en desayunos con algún predicador reconocido, o con asistir a conferencias, o con estar bajo la dirección de algún discipulador (al que yo más bien llamaría *manipulador*) que los convierte en verdaderos antagonistas del cuerpo de Cristo. Así pues, dicen: "No necesito la iglesia; no me interesa saber lo que piensa la gente, sino lo que piensa Dios". ¿Qué dice Dios?

En la Biblia encontramos uno de los pasajes más reveladores en cuanto a este mal. Hebreos 10:23-25 nos da lecciones prácticas que harían de la iglesia de Cristo la fuerza más poderosa para el bien de la humanidad.

De esta escritura se derivan tres pensamientos importantes acerca del tema:

> *Retengamos firme la confesión de la esperanza sin vacilación, porque fiel es el que lo ha prometido. Considerémonos los unos a los otros para estimularnos al amor y a las buenas obras. No dejemos de congregarnos, como algunos tienen por costumbre; más bien, exhortémonos, y con mayor razón cuando veis que el día se acerca.*
> **Hebreos 10:23-25**

Tenemos un mandamiento divino

Retengamos firme la confesión de la esperanza sin vacilación, porque fiel es el que lo ha prometido.

Es cuestión de convicción. Una sabia recomendación para nuestros días. *Retengamos firme* significa literalmente en el griego del Nuevo Testamento "manténganse aferrados". Si algo falta hoy en día es gente cristiana con convicciones cristianas. En la Palabra de Dios encontramos distintos matices de nuestra relación personal con Dios. Por un lado sabemos que Dios jamás nos dejará; él es fiel y nunca quebrantará sus promesas; pero también, en muchas porciones de la Palabra encontramos que es responsabilidad nuestra mantenernos firmes. ¿Hay alguna contradicción en esto? Tenemos una poderosa razón por la cuál los cristianos podemos mantenernos firmes: **por el acceso que tenemos a la misma presencia de Dios.** Es allí donde nuestra vida debe estar aferrada.

Mantenernos aferrados es un mandamiento personal y particular, pero que se hace más firme en tanto estamos juntos. Todos sabemos que la vida actual en el mundo es profundamente inestable. Tal vez pensamos que Dios sufre la misma condición, pero nos damos cuenta de que nuestra vida descansa en las manos de un Dios que permanece estable. A este principio del carácter de Dios se le llama inmutabilidad. Entonces, los que somos sus hijos debemos reproducir el mismo carácter. ¿Por qué es importante esto en el contexto de "cuerpo"? El plural del verbo nos habla de una tarea de todos; juntos debemos procurar persistir en lo que hemos creído y no dejar que ningún pensamiento ajeno a la Palabra de Dios desvirtúe nuestra esperanza. Es cuestión de perseverar en Jesús (leamos de nuevo la carta a los Hebreos). Debemos mantenernos aferrados, y *sin vacilación*, es decir, sin fluctuar. Nunca dejemos de aferrarnos a lo que creemos. Si vamos a aferrarnos, será a lo que Dios nos ha revelado en su Palabra. El problema es que muchos nos "aferramos", pero al pecado, a la falsedad, a la idolatría, al mundo, a la amargura (sólo Dios hace limonada con el limón de nuestra amargura), a no pedir perdón. Si a algo debemos aferrarnos, es a la libertad que tenemos de poder acercarnos a Dios con corazón sincero. Hay muchas y variadas circunstancias que pueden hacernos olvidar lo que creemos. Las voces de la burla y del cinismo tratan de arrancarnos la fe; el materialismo con sus argumentos pretende que olvidemos a Dios, y los malos acontecimientos de la vida conspiran para sacudir nuestra confianza. Pero debemos aferrarnos a la esperanza en tal forma que nada pueda soltarnos.

Tenemos una estrategia

Considerémonos los unos a los otros para estimularnos al amor y a las buenas obras. No dejemos de congregarnos, como algunos tienen por costumbre...

Dediquemos nuestras mentes a la tarea de pensar en los demás

El autor de Hebreos está tratando con el problema central de todos los que estamos aquí: el egoísmo. El problema de Adán y Eva en el huerto era éste. Algo que está acabando sutilmente con la vida de muchos y que tiene mil disfraces, y que ha hecho caer en sus redes a muchos cristianos es **el humanismo**. El hombre es puesto como lo más importante de todo, como el centro del universo, como el eje. Lamentablemente nuestra iglesia tiene algunos tintes humanistas. ¿En quién pensamos más: en los demás o en nosotros mismos?

La estrategia:

- Usar el amor como la fuerza estimulante de nuestras relaciones. Ya mucho hemos dicho acerca del amor, no como un noble sentimiento que brota de lo más profundo del ser, sino como **una decisión**. Un amor que no se demuestra, no es amor. Estimular es activar las funciones, es animar. Nuestra responsabilidad es animarnos al amor, es decir, a poner como base de todas nuestras acciones al amor perfecto de Dios. En griego "estimular" es una palabra sumamente fuerte, ya que significa "afinar, incentivar o provocar". Pablo la utilizó cuando en 1 Corintios 13 dijo: *El amor no se irrita...* Ahora bien, el autor de la epístola a los Hebreos usa esta fuerte palabra en un sentido positivo: Los cristianos debemos provocarnos al amor... ¿Cómo se estimula a otros al amor? Es muy común que queramos estar con cierto tipo de personas que hacen las cosas como las hacía Cristo en su amor sacrificial y en su integridad que no se compromete. Estar al lado de personas así nos anima a ser como ellas. Esto es lo que está diciendo el autor. La familia cristiana debe nutrirse de este tipo de amor e integridad. La iglesia debe ser el lugar donde los cristianos se vean animados a demostrar su amor.

- Hacer juntos buenas obras. Una de las cosas que están cambiadas en la vida de muchas personas es el lugar que las obras ocupan en su vida. Muchos hacen buenas obras, pero su motivación es llegar a ganarse un "pedacito de cielo", ganarse la gracia de Dios. Pero la Escritura claramente sentencia: *Porque por gracia sois salvos por medio de la fe; y esto no de vosotros, pues es don de Dios. No por obras, para que nadie se gloríe.* Por otro lado, están los creyentes que han dejado las buenas obras como un estilo de vida. Son el tipo de creyentes que describe Santiago: *La fe si no tiene obras está muerta.* Nuestras obras hablan de un corazón agradecido a Dios, y de una vida de amor al prójimo. ¿Qué tipo de obras está usted realizando? ¿Son tan buenas que estimulan a otros a hacer lo que usted está haciendo?

- Permanecer congregados. *No dejemos de congregarnos.* ¿Por qué es importante reunirnos como iglesia? Hay una razón: la Palabra de Dios lo manda. Todo lo anteriormente dicho jamás ocurriría si nos mantuviéramos alejados unos de otros. Todos debemos aprovechar la oportunidad de reunirnos como iglesia y disfrutar de la compañía del pueblo de Dios.

Por allí hay muchos que se sienten una "partícula piadosa", o un cristiano aislado.

El mundo está lleno de gente que desalienta, que se ríe de los ideales humanos y que echa agua fría sobre el entusiasmo de los demás, pero nosotros tenemos una estrategia de permanencia. Una palabra de encomio, de agradecimiento, de aprecio o de estímulo, logra impedir que alguien se desplome.

Tenemos una inspiración

...más bien, exhortémonos, y con mayor razón cuando veis que el día se acerca.

El autor de la carta a los Hebreos identifica dos motivaciones para animarnos unos a otros:

- **La fidelidad de Dios**. El versículo 23 dice: *...porque fiel es el que lo ha prometido.* Nuestra vida descansa en lo que Dios es. Uno de los temas más frecuentemente tratados por el autor de esta apasionante carta es la fidelidad de Dios. Tenemos nuestra vida puesta en Dios. Todas las promesas contenidas en la Palabra de Dios están avaladas por Dios mismo. Hebreos 6:17 dice: *Por esto Dios, queriendo demostrar...* Y anteriormente, en el versículo 13, dice: *puesto que no podía jurar por otro mayor, juró por sí mismo.* Amén. Nuestra esperanza está en Dios.

- Cuando Asaf vio que los impíos prosperaban dijo: *¿A quién tengo yo en los cielos? Aparte de ti nada deseo en la tierra* (Sal. 73:25).
- Cuando Job estaba en medio de la desilusión y la prueba más dura que puede experimentar un hombre dijo: *Yo sé que mi Redentor vive...* (Job 19:25a).
- Jeremías dijo: *Pero Jehovah está conmigo como poderoso adalid* (Jer. 20:11a).

- Eliseo dijo: *...más son los que están con nosotros que los que están con ellos* (2 Rey. 6:16).
- Yajaziel dijo: *No temáis ni desmayéis delante de esta multitud tan grande, porque la batalla no será vuestra, sino de Dios* (2 Crón. 20:15b).
- Nehemías dijo: *Acordaos del Señor grande y temible...* (Neh. 4:14b).

Es posible vivir en armonía como iglesia si tan sólo recordamos quién está entre nosotros hoy. Muchos dejaríamos de fingir un cristianismo vano para arrodillarnos delante del Todopoderoso. No use usted sus recursos; use los de Dios.

- **La premura del tiempo.** La Biblia nos alerta: *Con mayor razón cuando veis que el día se acerca.* El día se aproxima, el tiempo es corto. En el calendario divino el evento más próximo es **la segunda venida de Cristo.** ¿Está usted preparado? Es el tiempo del fin. Cada generación cristiana es llamada a vivir como la generación final, si ha de vivir como **generación cristiana.** Para los escritores bíblicos del Nuevo Testamento la segunda venida de Cristo era algo que sucedería en su tiempo, y era una poderosa motivación. Desafortunadamente, muchos cristianos de hoy no tienen esa motivación, pero basta ver el impresionante cumplimiento de las profecías para darnos cuenta de que **el tiempo está cerca.** Si algo afecta negativamente a la iglesia de Cristo, es pensar que tenemos todo el tiempo del mundo para solucionar las cosas. Pablo escribió en Efesios 5:16: *...redimiendo el tiempo, porque los días son malos.* No espere para servir a Cristo; no espere para congregarse, no espere para arreglar la relación rota con su hermano. **No debe esperar.** *Despiértate, tú que duermes... y te alumbrará Cristo* (Ef. 5:14).

Aplicación personal

Si usted desea ser un líder que cuida de los demás, entonces...

1. Preocúpese por los demás.
2. Estimule a los demás al amor y a las buenas obras.
3. No descuide congregarse.
4. Convierta la congregación en un grupo de amigos amados.
5. Dedique tiempo a pensar en los demás.
6. Haga que su amor por los demás se note.
7. Haga sinceramente buenas obras que estimulen a los demás a imitarlo.

Invitación

Conviértase en un líder que se acerca a los demás, que ora por ellos, que conoce sus necesidades y que actúa para ayudar a satisfacerlas en amor.

Oración

Padre celestial, dame de tu poder y sabiduría para ir, como Cristo, haciendo el bien. Abre mis ojos para ver con compasión al que sufre y mostrarle prácticamente tu amor. Amén.

Conclusión

El liderazgo "peligroso" es una necesidad urgente del reino de Dios en la tierra. Hoy más que nunca se requiere de la participación activa de líderes que estén dispuestos a ser usados por Dios. El rey David, entre tantos otros líderes peligrosos, fue uno de los que comprendieron los beneficios de generar gente peligrosamente positiva. Cuando comenzó por vez primera a reunir y organizar a un grupo de hombres en el desierto, atrajo a todos los oprimidos, todos los *endeudados y todos los amargados de espíritu* (1 Sam. 22:2). Alrededor de cuatrocientos de estos vagabundos, inadaptados y proscritos respondieron al llamamiento de David para la instrucción militar.

Estoy más que convencido de que David debió de haber tragado saliva cuando contempló este grupo de desarrapados. Sin duda se sentiría tentado a poner otro anuncio en el periódico local y reclutar otro grupo. Pero estos eran los hombres que Dios le daba, de modo que los aceptó y comenzó a invertir su vida en la de ellos. Inmediatamente inició un programa que iba a transformarlos en una banda de soldados disciplinados. Durante más de siete años dirigió personalmente su instrucción. Es indudable que el progreso fue lento, que hubo muchos vaivenes, y que la mejora era a veces insignificante. Finalmente, el resultado fue una unidad militar de élite, expertos con la espada, la honda, la lanza, el arco y las flechas. En 1 Crónicas leemos acerca de las increíbles hazañas protagonizadas por estos hombres. Empleándolos como el núcleo de su ejército, David echó a todos los invasores extranjeros de Israel. Y aquel grupo de inadaptados llegó a ser conocido como "los valientes de David". Indudablemente usted puede hacer lo mismo que este líder peligroso: persevere en el ministerio a pesar de los muchos obstáculos que seguramente enfrentará; y dedíquese no sólo a ser transformado por Dios en un líder peligroso, sino a la formación de otros líderes semejantes, ya que esta es la tarea a la que Dios mismo lo llamó. El liderazgo peligroso es necesario para nuestros días. La iglesia requiere de personas que, usadas por Dios, se conviertan en un auténtico peligro para Satanás y su reino.

Sea usted una de ellas.